D0362811

Dans la même collection

La confusion
des sentiments

Stefan Zweig

La confusion des sentiments

(Notes intimes du Professeur R. de D.)

TRADUIT DE L'ALLEMAND
PAR

ALZIR HELLA ET OLIVIER BOURNAC

Bibliothèque cosmopolite
Stock

Si vous souhaitez être tenu au courant de la publication de nos
ouvrages, il vous suffira d'en faire la demande aux Éditions
STOCK, 103, bd Saint-Michel, 75005 Paris. Vous recevrez
alors, sans aucun engagement de votre part, le bulletin où sont
régulièrement présentées nos nouveautés que vous trouverez
chez votre libraire.

Ils ont eu une exquise pensée, mes élèves et collègues de la Faculté : voici, précieusement relié et solennellement apporté, le premier exemplaire de ce livre d'hommage qu'à l'occasion de mon soixantième anniversaire et du trentième de mon professorat les philologues m'ont consacré. Il est devenu une véritable biographie : il n'y manque pas le moindre de mes articles, pas la moindre de mes allocutions officielles; il n'est pas d'insignifiants comptes rendus parus dans je ne sais quelles *Annales* de l'érudition que le labeur bibliographique n'ait arrachés au tombeau de la paperasse. Tout mon développement, avec une netteté exemplaire, degré par degré, comme un escalier bien balayé, est là reconstitué jusqu'à l'heure actuelle. Vraiment, je serais un ingrat si cette touchante minutie ne me faisait pas plaisir. Ce que j'ai cru moi-même effacé de ma vie et perdu se retrouve, dans ce livre, présenté avec ordre et méthode : oui, je dois avouer que le vieil homme que je suis a contemplé ces feuilles avec le même orgueil que jadis éprouva l'étudiant devant le certificat de ses professeurs qui, pour la première fois, attestait son aptitude à la science et sa volonté de travail.

Cependant, après avoir feuilleté ces deux cents pages appliquées et regardé attentivement cette sorte de miroir intellectuel de moi-même, il m'a fallu sourire. Était-ce vraiment là ma vie ? Se développait-elle réellement en spirales marquant une si heureuse progression depuis la première heure jusqu'à maintenant, ainsi qu'à l'aide de documents imprimés le biographe en avait déroulé symétriquement le cours ? J'éprouvais exactement la même impression que lorsque pour la première fois j'avais entendu ma propre voix parler dans un gramophone : d'abord je ne la reconnus pas du tout; sans doute c'était bien ma voix, mais ce n'était que celle qu'entendent les autres et non pas celle que je perçois moi-même, comme à travers mon sang et dans l'habitacle intérieur de mon être.

Et ainsi, moi qui ai employé toute une vie à décrire les hommes d'après leurs œuvres et à objectiver la structure intellectuelle de leur univers, je constatais, précisément par mon propre exemple, combien reste impénétrable dans chaque destinée le noyau véritable de l'être, la cellule plastique d'où jaillit toute croissance. Nous vivons des myriades de secondes et, pourtant, il n'y en a jamais qu'une, une seule, qui met en ébullition tout notre monde intérieur : la seconde où (Stendhal l'a décrite) la fleur interne, déjà abreuvée de tous les sucs, réalise comme un éclair sa cristallisation, — seconde magique, semblable à celle de la procréation et, comme elle, cachée dans le sein gauche de son propre corps, invisible, intangible, imperceptible, — mystère qui n'est vécu qu'une seule fois. Aucune algèbre de l'esprit ne peut la calculer. Aucune alchimie du pressentiment ne peut la deviner et rarement l'instinct lui-même peut s'en rendre compte.

Ce livre ignore tout du secret de mon avènement à la vie intellectuelle : c'est pourquoi il m'a fallu sourire. Tout y est vrai, il n'y a que l'essentiel qui y fasse défaut. Il me décrit, mais sans parvenir jusqu'à mon être. Il parle de moi sans révéler ce que je suis. L'index soigneusement établi comprend deux cents noms : il n'y manque que celui d'où partit toute l'impulsion créatrice, le nom de l'homme qui a décidé de mon destin et qui, maintenant, avec une double puissance, m'oblige à évoquer ma jeunesse. Il est parlé de tous, sauf de lui, qui m'a appris la parole et dont le souffle anime mon langage : et, brusquement, je me sens coupable de cette lâche dissimulation. Pendant toute une vie j'ai tracé des portraits humains, j'ai réveillé du fond des siècles des figures, pour les rendre sensibles aux hommes d'aujourd'hui, et précisément je n'ai jamais pensé à celui qui a toujours été le plus présent en moi; aussi je veux lui donner, à ce cher fantôme, comme aux jours homériques, à boire de mon propre sang, pour qu'il me parle de nouveau et pour que lui, qui depuis longtemps a été emporté par l'âge, soit auprès de moi, qui suis en train de vieillir. Je veux ajouter un feuillet secret aux feuilles publiques, mettre un témoignage du sentiment à côté du livre savant, et me raconter à moi-même, pour l'amour de lui, la vérité de ma jeunesse.

★

Encore une fois, avant de commencer, je feuillette ce livre qui prétend représenter ma vie. Et de nouveau je suis obligé de sourire. Car comment voudraient-ils connaître l'intérieur véritable de mon être, eux qui ont choisi un mauvais départ ? Leur premier pas porte déjà à faux ! Voilà qu'un camarade d'école qui me veut du bien et qui, aujourd'hui, est comme moi conseiller intime, imagine gratuitement que déjà au lycée un amour passionné des belles-lettres me distinguait de tous les autres « potaches ». Vous avez mauvaise mémoire, mon cher *conseiller intime !* Pour moi, tout ce qui portait la marque du classique était une servitude mal supportée, en grinçant des dents et en écumant. Précisément parce que, fils de proviseur, je voyais toujours, dans cette petite ville de l'Allemagne du Nord, la culture professée, jusqu'à la table et au salon, comme un gagne-pain, je haïssais depuis l'enfance toute philologie : toujours la nature, conformément à sa tâche mystique qui est de préserver l'élan créateur, donne à l'enfant aversion et mépris pour les goûts paternels. Elle ne veut pas un héritage commode et indolent, une simple transmission et répétition d'une génération à l'autre : toujours elle établit d'abord un contraste entre les gens de même nature et ce n'est qu'après un pénible et fécond détour qu'elle permet aux descendants d'entrer dans la voie des aïeux.

Il suffisait que mon père considérât la science comme sacrée pour que ma personnalité en germe n'y vît que de vaines subtilités; parce qu'il prisait les classiques comme des modèles, ils me semblaient didactiques et, par conséquent, haïssables. Entouré de livres de tous côtés, je méprisais les livres; toujours poussé par mon père vers les choses de l'esprit, je me révoltais contre toute forme de culture transmise par l'écriture. Il n'est donc pas étonnant que j'aie eu de la peine à arriver jusqu'au baccalauréat et qu'ensuite je me sois refusé avec véhémence à poursuivre des études. Je voulais devenir officier, marin ou ingénieur. A vrai dire, aucune vocation impérieuse ne me portait vers ces carrières. C'est seulement l'antipathie pour les paperasses et le didactisme de la science qui me faisait préférer une activité pratique à la carrière de professeur. Cependant, mon père persista, avec sa vénération fanatique pour tout ce qui touchait à l'Université, à vouloir que je suivisse les cours d'une Faculté, et je ne parvins à obtenir qu'une concession : c'est qu'au lieu de la philologie classique, il me fût permis de choisir l'étude de l'anglais (solution bâtarde, que finalement j'acceptai avec la secrète arrière-pensée de pouvoir ensuite plus facilement, grâce à la connaissance de cette langue maritime, avoir accès à la carrière de marin, que je désirais vivement).

Rien n'est donc plus faux dans ce *curriculum vitae* que l'assertion tout amicale d'après laquelle j'aurais acquis, au cours de mon premier semestre d'études à l'Université de Berlin, grâce à des professeurs de mérite, les principes de la science philologique : en réalité, ma passion de la liberté, se donnant violemment carrière, ignorait alors tout des cours et des professeurs. Lors de ma première visite rapide à la salle de cours, l'atmosphère moisie, le débit du professeur, monotone comme celui d'un pasteur et en même temps ampoulé, m'accablèrent déjà d'une telle lassitude que je dus faire effort pour ne pas m'endormir sur le banc. C'était là encore l'école à laquelle je croyais avoir heureusement échappé, c'était la salle de classe que je retrouvais là, avec sa chaire surélevée et avec les puérilités d'une critique faite de vétilles : malgré moi, il me semblait que c'était du sable qui coulait hors des lèvres à peine ouvertes du « conseiller intime » qui professait là, tellement usées et monotones étaient les paroles qui, du cahier de cours du professeur, fatigué à force d'avoir servi, montaient goutte à goutte dans l'air épais.

Le soupçon, déjà sensible à l'écolier, d'être tombé dans un dépositoire de cadavres de l'esprit, où des mains indifférentes s'agitaient autour du mort pour en faire l'anatomie, se renouvelait odieusement dans ce laboratoire de l'alexandrinisme devenu depuis longtemps une antiquaille; et quelle intensité prenait cet instinct de défense dès que, après la leçon péniblement supportée, je sortais dans les rues de la ville, de ce Berlin de l'époque, qui, tout surpris de sa propre croissance, débordant d'une virilité trop rapidement montée en graine, faisait jaillir son électricité de toutes les pierres et de toutes les rues et imposait irrésistiblement à chacun un rythme de fiévreuse pulsation, qui, avec sa sauvage ardeur, ressemblait extrêmement à l'ivresse de ma propre virilité, dont je venais précisément de prendre conscience. Tous deux, la ville et moi, sortis brusquement d'un train de vie de petite bourgeoisie, ordonnée et bornée comme le protestantisme, livrés prématurément à un tumulte tout nouveau de puissance et de possibilités, tous deux, la ville et le jeune garçon que j'étais, faisant son entrée dans le monde, nous vibrions avec autant d'agitation et d'impatience qu'une dynamo.

Jamais je n'ai aussi bien compris et aimé Berlin qu'à cette époque, car, exactement comme dans ce chaud et ruisselant rayon de miel humain, chaque cellule de mon être aspirait à un élargissement soudain. Où l'impatience d'une vigoureuse jeunesse aurait-elle pu se déployer aussi bien que dans le sein palpitant et brûlant de cette femme géante, dans cette cité impatiente et débordante de force ? Tout d'un coup elle s'empara de moi, je me plongeai dans son être, je descendis jusqu'au fond de ses veines; ma curiosité parcourut hâtivement tout son corps de pierre et pourtant plein de chaleur : depuis le matin jusqu'à la nuit, je m'agitais dans les rues, j'allais jusqu'aux lacs de la banlieue, j'explorais tout ce qu'il y avait là de caché : vraiment l'ardeur avec laquelle, au lieu de m'occuper de mes études, je m'abandonnais aux aventures de cette existence toujours en quête de sensations nouvelles, était celle d'un possédé. Mais dans ces excès je ne faisais qu'obéir à une particularité de ma nature : dès mon enfance, incapable de m'intéresser à plusieurs choses à la fois, j'étais d'une indifférence radicale pour tout ce qui n'était pas la chose qui m'occupait; toujours et partout mon activité s'est déployée suivant une seule ligne, et encore aujourd'hui, dans mes travaux, je m'attache le plus souvent si fanatiquement à un problème que je ne le lâche pas avant de sentir dans ma bouche les dernières bribes, les derniers restes de sa moelle.

Alors, dans ce Berlin, le sentiment de la liberté devint pour moi un enivrement si puissant que je ne supportais même pas la claustration passagère des leçons de la Faculté, ni même la clôture de ma propre chambre. Tout ce qui ne m'apportait pas une aventure m'apparaissait temps perdu. Et le provincial tout nouvellement débarrassé du licol du collège et qui n'était qu'un béjaune, montait sur ses grands chevaux pour avoir l'air d'un homme important : je fréquentai une association d'étudiants, je cherchai à donner à mon être (qui, à proprement parler, était timide) quelque chose de la fatuité et de la morgue des étudiants au visage balafré; à peine au bout de huit jours d'initiation, je jouais au fanfaron de la grande ville et de la Grande-Allemagne; j'appris avec une rapidité étonnante, comme un véritable *miles gloriosus*, la vanité et la fainéantise des piliers de cafés.

Naturellement, ce chapitre de la virilité comprenait aussi les femmes, ou plutôt les femelles, comme nous disions dans notre insolence d'étudiant; et à cet égard il se trouvait fort à propos que j'étais un garçon extrêmement joli. De haute taille, svelte, ayant encore aux joues la patine bronzée de la mer, souple et adroit dans chacun de mes mouvements, j'avais beau jeu en face des pâles « calicots », desséchés comme des harengs par l'atmosphère de leurs comptoirs, qui, comme nous, se mettaient en campagne tous les dimanches, en quête de butin à travers les salles de danse de Halensee et de Hundekehle (qui à cette époque étaient encore éloignés de l'agglomération urbaine). Tantôt c'était une servante mecklembourgeoise, blonde comme de la paille, avec une peau d'une blancheur de lait, toute chaude encore de la danse, que j'entraînais dans ma chambre quelques instants avant la fin de sa journée de sortie; tantôt c'était une nerveuse et pétulante petite juive de Posen, qui vendait des bas chez Tietz, — le plus souvent butin conquis aisément et vite abandonné aux camarades.

Mais dans cette facilité de conquêtes inattendue, il y avait pour moi, qui n'étais hier encore qu'un collégien craintif, une nouveauté enivrante; les succès accrurent mon audace et petit à petit je ne considérai plus la rue que comme un terrain de chasse pour ces aventures complètement sans choix et qui n'étaient plus qu'une sorte de sport. Un jour que, suivant ainsi la piste d'une jolie fille, j'arrivais *Sous les Tilleuls* et, tout à fait par hasard, devant l'Université, je ris malgré moi en songeant depuis combien de temps je n'avais pas mis les pieds sur ce seuil respectable.

Par bravade j'y entrai, avec un ami de même acabit que moi; nous ne fîmes que pousser la porte et nous vîmes (c'était là un spectacle d'un ridicule incroyable) cent cinquante dos penchés sur les bancs, comme des scribes, et semblant joindre leurs litanies à celles que psalmodiait une barbe blanche. Et aussitôt je refermai la porte, laissant s'écouler sur les épaules de ces laborieux ce ruisselet de morne éloquence, et je regagnai fièrement, avec mon camarade, l'allée ensoleillée.

Il y a des moments où il me semble que jamais jeune homme ne gaspilla son temps plus sottement que je ne le fis pendant ces mois-là. Je ne lus pas le moindre livre; je suis certain de n'avoir alors ni dit une seule parole raisonnable ni conçu une véritable pensée. D'instinct je fuyais toute société cultivée, afin de pouvoir sentir plus fortement, dans mon corps qui seul m'intéressait, la saveur de la nouveauté et des plaisirs jusque-là défendus. Il se peut que cette façon de s'enivrer de sa propre sève et d'être enragé contre soi-même pour perdre son temps fasse partie, dans une certaine mesure, des exigences d'une jeunesse vigoureuse brusquement livrée à elle-même; cependant, mon obsession toute particulière rendait déjà dangereuse cette sorte de paresse crasse et il est fort probable que je serais tombé complètement dans la fainéantise noire ou dans l'abêtissement, si un hasard ne m'avait pas retenu soudain sur la pente de la chute intérieure.

Ce hasard (que, aujourd'hui, ma gratitude qualifie d'heureux) consista en ceci que mon père fut appelé à l'improviste à Berlin, pour une seule journée, à une conférence des proviseurs au ministère. En pédagogue de profession, il profita de l'occasion pour se rendre compte de ce que je faisais sans m'annoncer sa venue, et pour me surprendre ainsi au moment où je m'y attendais le moins. Il y réussit parfaitement.

Comme la plupart du temps, j'avais avec moi ce soir-là, dans ma quelconque chambre d'étudiant située au nord (l'entrée faisait partie de la cuisine de ma propriétaire masquée par un rideau) une jeune femme en visite tout à fait intime, lorsque j'entendis frapper à la porte. Supposant que c'était un camarade, je grognai, de mauvaise humeur : « Je ne suis pas visible. » Au bout d'un court moment les coups frappés à la porte se renouvelèrent, une fois, deux fois, et puis, avec une impatience non dissimulée, une troisième fois. Avec colère j'enfilai ma culotte pour envoyer promener sans ménagement l'impertinent gêneur ; et ainsi, la chemise à moitié ouverte, les bretelles pendantes, les pieds nus, j'ouvris violemment la porte, pour aussitôt, comme atteint d'un coup de poing sur la tempe, reconnaître dans l'obscurité du vestibule la silhouette de mon père.

De sa figure, je n'apercevais, dans l'ombre, guère plus que les verres des lunettes, aux reflets étincelants. Mais la vue de cette silhouette suffit déjà pour que l'injure que je tenais toute prête s'immobilisât, comme une arête, dans mon gosier, qui se serra : pendant un moment je restai comme étourdi. Puis (atroce seconde !) il me fallut le prier humblement d'attendre quelques minutes dans la cuisine, — « le temps de mettre de l'ordre dans ma chambre ». Comme je viens de le dire, je ne voyais pas sa figure, mais je sentais qu'il comprenait. Je le sentais à son silence, à la façon contrainte dont, sans me tendre la main, il entra dans la cuisine, derrière le rideau, avec un geste de répulsion. Et là, devant un fourneau empuanti par une odeur de café réchauffé et de navets, le vieil homme dut attendre pendant dix minutes, — dix minutes aussi humiliantes pour moi que pour lui, — jusqu'à ce que j'eusse sorti la fille du lit, l'eusse fait se rhabiller à la hâte et l'eusse conduite hors de la chambre, en passant près de mon père, qui malgré lui était forcé d'écouter. Il entendit forcément le bruit de son pas et le battement produit sous l'action du courant d'air par les plis du rideau, au moment où elle disparaissait rapidement. Et je ne pus encore faire sortir le vieil homme de son retrait avilissant : il me fallait d'abord réparer le désordre trop visible du lit. Ce n'est qu'alors que (jamais de ma vie je n'avais éprouvé autant de honte) j'allai le chercher.

En cette heure fâcheuse, mon père sut se contenir, et encore aujourd'hui je l'en remercie du fond du cœur. Car chaque fois que je songe à lui, depuis longtemps décédé, je me refuse à l'évoquer d'après la perspective de l'écolier qui se plaisait à n'apercevoir en lui avec dédain qu'une machine à corriger, qu'un pédant entiché de minuties et sans cesse occupé à censurer; au contraire, j'évoque toujours son image en cet instant si humain où le vieil homme, profondément écœuré et pourtant gardant la maîtrise de lui-même, entra sans rien dire derrière moi dans la chambre à la lourde atmosphère. Il avait dans sa main son chapeau et ses gants : involontairement il voulut s'en débarrasser, mais il fit ensuite un geste de dégoût, comme s'il répugnait à ce qu'une partie quelconque de son être prît contact avec cette « saleté ». Je lui offris un siège, il ne répondit pas; seulement un signe de refus écarta de lui toute communauté avec les objets de ce « lieu-là ».

Enfin, après être resté debout pendant quelques instants, glacial et le regard tourné de côté, il ôta ses lunettes et les frotta avec insistance, ce qui, je le savais, était chez lui un signe de gêne; la façon dont le vieil homme, avant de les remettre, passa le dos de sa main sur ses yeux ne m'échappa point non plus. Il avait honte devant moi, et moi j'avais honte devant lui; aucun de nous ne trouvait une parole. En secret, je craignais qu'il ne commençât un sermon, une allocution faite de belles phrases, sur ce ton guttural que, quand j'étais à l'école, je détestais et raillais. Mais le vieil homme resta muet et il évitait de me regarder.

Enfin, il alla vers les tablettes mal assurées où étaient mes livres d'étude; il les ouvrit : le premier coup d'œil suffit à le convaincre que je ne les avais pas touchés et à s'apercevoir que la plupart n'étaient même pas coupés. « Tes cahiers de cours ! » dit-il. Cet ordre fut son premier mot. Je les tendis en tremblant, car je savais trop bien que les notes prises ne provenaient que d'une seule leçon. Il parcourut les deux pages en les tournant rapidement, et, sans le moindre signe d'irritation, il mit les cahiers sur la table. Puis il prit une chaise, s'assit, me regarda gravement, mais sans aucun reproche et me demanda :

— Eh bien ! qu'est-ce que tu penses de tout cela ? Qu'en résultera-t-il ?

Cette question posée avec calme me cloua au sol. Tout en moi était déjà prêt à la résistance : s'il m'avait réprimandé, j'aurais fait le fanfaron; s'il avait eu recours à des exhortations larmoyantes, je me serais moqué de lui. Mais cette question tout objective brisa les reins à ma fierté : sa gravité exigeait de la gravité, son calme contraint commandait le respect et un accueil exempt d'animosité. Ce que je répondis, j'ose à peine me le rappeler; de même l'entretien qui suivit se dérobe aujourd'hui complètement devant ma plume : il y a des ébranlements soudains, une manière d'être brusquement ému qui, racontée, prendrait probablement une note sentimentale; il y a certaines paroles qui ne sont d'une vérité profonde qu'une seule fois, lorsqu'elles sont prononcées entre quatre yeux et qu'elles jaillissent spontanément du tumulte inattendu de la sensibilité.

Ce fut le seul entretien véritable que j'eus jamais avec mon père, et je n'eus aucune hésitation à m'humilier volontairement : je m'en remis à lui de la décision à prendre. Mais il ne me donna que le conseil de quitter Berlin et d'aller étudier, le semestre suivant, dans une petite université. Il était certain, dit-il comme pour me consoler, que désormais je rattraperais courageusement le temps perdu; sa confiance me toucha; en cette seconde je sentis tout le tort que j'avais eu pendant toute une jeunesse envers ce vieil homme barricadé derrière un formalisme glacial. Je fus obligé de me mordre fortement les lèvres pour empêcher les larmes de jaillir brûlantes de mes yeux. Mais lui aussi éprouvait sans doute quelque chose de semblable, car il me tendit subitement la main, tint pendant un moment la mienne dans la sienne qui tremblait, et s'empressa de sortir· Je n'osai pas le suivre, je restai là agité et troublé et j'essuyai avec le mouchoir le sang de ma lèvre : tellement, pour être maître de ma sensibilité, mes dents s'y étaient enfoncées !

Ce fut le premier ébranlement que je subis, moi qui avais alors dix-neuf ans : il jeta à terre, sans même un seul mot violent, tout l'emphatique château de cartes que mon désir de faire l'homme, d'imiter l'impertinence des étudiants et de m'encenser moi-même avait édifié en trois mois. Je me sentis assez énergique, grâce à ma volonté piquée au jeu, pour renoncer à tous les plaisirs de basse qualité; je brûlais impatiemment d'essayer sur le terrain de l'esprit ma force jusqu'alors inutilement gaspillée; je fus pris d'un besoin passionné de sérieux, de sobriété, de discipline et d'austérité. C'est à cette époque que je me vouai tout entier à l'étude, comme par une sorte de vœu monastique, ignorant vraiment la haute ivresse que la science me réservait et ne me doutant pas que, aussi, dans ce monde supérieur de l'esprit, l'aventure et le risque sont toujours à la portée d'un être impétueux.

★

La petite ville de province que d'accord avec mon père j'avais choisie pour le semestre suivant était située dans l'Allemagne centrale. Sa grande réputation universitaire formait un contraste frappant avec le chétif tas de maisons qui entouraient les bâtiments des Facultés. Je n'eus pas beaucoup de peine, après avoir quitté la gare, où je laissai d'abord mes bagages, à trouver l'*Alma Mater*, et, au sein du vaste édifice moyenageux, je sentis aussitôt combien ici le cercle intime se fermait beaucoup plus vite que dans la volière berlinoise. En deux heures mon inscription fut prise et la plupart des professeurs eurent eu ma visite; mon directeur d'études, le professeur de philologie anglaise, fut le seul que je ne pus pas voir aussitôt, mais il me fut dit que je le rencontrerais l'après-midi à quatre heures, au « séminaire ».

Poussé par cette impatience qui était en moi de ne pas perdre une heure, et tout aussi ardent dans mon élan vers la science qu'avant dans le dégoût que j'en avais, je me trouvai (après avoir fait un tour rapide à travers la petite ville, qui, par comparaison avec Berlin me semblait plongée dans l'engourdissement), à quatre heures précises, à l'endroit indiqué. L'appariteur m'indiqua la porte du séminaire. Je frappai et, comme il me sembla avoir entendu répondre une voix de l'intérieur, j'entrai.

Mais j'avais mal entendu. Personne ne m'avait dit d'entrer, et le son indistinct qui était parvenu à mes oreilles, c'était simplement la voix haute, l'élocution énergique du professeur, qui, devant un cercle d'environ deux douzaines d'étudiants

29

formant un groupe serré et très rapproché de lui, prononçait une harangue visiblement improvisée. Gêné d'être là sans autorisation par suite de ma méprise auditive, je voulus me retirer sans bruit; mais je craignis précisément, en le faisant, d'éveiller l'attention, car jusqu'alors aucun des auditeurs ne m'avait remarqué. Je restai donc près de la porte, et malgré moi j'entendis ce qui se disait.

L'exposé du professeur paraissait être issu d'un colloque pédagogique ou d'un exercice de thèse; du moins, c'est ce que semblait indiquer le groupement libre et tout à fait accidentel du professeur et de ses élèves : il n'était pas assis doctoralement sur un siège distant, mais sur une des tables, la jambe légèrement pendante, presque à la façon d'un étudiant, et autour de lui étaient rassemblés les jeunes gens, dans des attitudes sans apprêt qui, d'abord nonchalantes, avaient sans doute été fixées en une immobilité plastique par l'intérêt qu'éveillait en eux l'exposé du professeur. On se rendait compte qu'au début ils devaient être en train de parler ensemble, lorsque soudain le professeur s'était juché sur la table et là, dans cette position, les avait attirés à lui avec sa parole, comme au moyen d'un lasso, pour les immobiliser ensuite à l'endroit où ils étaient.

Et il ne fallut que peu de minutes pour que moi-même, déjà oubliant le caractère d'intrusion de ma présence, je sentisse la force fascinante de son discours agir magnétiquement; malgré moi je m'approchai davantage, afin de voir, par-dessus les paroles, les gestes remarquablement arrondis et élargis des mains, qui, parfois, lorsque sonnait un mot puissant, s'écartaient comme des ailes, s'élevaient en frémissant et puis reprenaient peu à peu musicalement le geste modérateur d'un chef d'orchestre. Et toujours la harangue devenait plus ardente, tandis que, comme sur la croupe d'un cheval au galop, cet homme ailé s'élevait rythmiquement au-dessus de la table rigide et, haletant, poursuivait l'essor impétueux de ses pensées traversées par de fulgurantes images.

Jamais encore je n'avais entendu un être humain parler avec tant d'enthousiasme et d'une façon si véritablement captivante; pour la première fois j'assistais à ce que les Romains appelaient *raptus*, c'est-à-dire à l'envol d'un esprit au-dessus de lui-même : ce n'était pas pour lui, ni pour les autres, que parlait cet homme à la lèvre enflammée, d'où jaillissait comme le feu d'un brasier humain.

Jamais je n'avais vu pareille chose, un discours qui était tout extase, un exposé passionné comme un phénomène élémentaire, et ce qu'il y avait là d'inattendu pour moi m'obligea tout à coup à m'avancer. Sans savoir que je bougeais, hypnotiquement attiré par une puissance qui était plus forte que la simple curiosité, d'un pas automatique, comme celui des somnambules, je me trouvai poussé magiquement vers ce cercle étroit : sans m'en rendre compte, je fus soudain à dix pouces de l'orateur et au milieu des autres, qui de leur côté étaient trop fascinés pour m'apercevoir, moi ou n'importe quoi.

J'étais emporté par le flot du discours, entraîné par son jaillissement, sans même savoir quelle en était l'origine : sans doute l'un des étudiants avait célébré Shakespeare comme un phénomène météorique et alors l'homme qui était là mettait toute son âme à montrer que ce poète n'était que l'expression la plus puissante, le témoignage spirituel de toute une génération, — l'expression sensible d'une époque devenue toute passion. Dans un large mouvement il décrivait cette heure

32

extraordinaire de l'Angleterre, cette seconde unique d'extase, telles qu'elles surgissent à l'improviste dans la vie de chaque peuple comme dans celle de chaque individu, concentrant toutes les forces en un élan souverain vers les choses éternelles. Tout d'un coup, la terre s'était élargie, un nouveau continent avait été découvert, tandis que la plus ancienne puissance du continent, la papauté, menaçait de s'effondrer : derrière les mers qui maintenant appartiennent aux Anglais, depuis que le vent et les vagues ont mis en pièces l'Armada de l'Espagne, de nouvelles possibilités surgissent brusquement; l'univers a grandi et involontairement l'âme se travaille pour l'égaler : elle aussi, elle veut grandir, elle aussi elle veut pénétrer jusqu'aux profondeurs extrêmes du bien et du mal; elle veut découvrir et conquérir, comme les conquistadors; elle a besoin d'une nouvelle langue, d'une nouvelle force.

Et en une nuit éclosent ceux qui vont parler cette langue : les poètes : ils sont cinquante, cent dans une seule décade, sauvages et libres compagnons qui ne cultivent plus des jardins d'Arcadie et qui ne versifient plus une mythologie de convention, comme le faisaient les poétereaux de cour qui les ont précédés. Eux, ils prennent d'assaut le théâtre ; ils font leur champ de bataille de ces arènes où auparavant il n'y avait que des animaux auxquels on donnait la chasse ou des jeux sanglants, et le goût du sang chaud est encore dans leurs œuvres ; leur drame lui-même est un *circus maximus* dans lequel les bêtes fauves du sentiment se précipitent les unes sur les autres, altérées de malefaim.

La fureur de ces cœurs passionnés se déchaîne à la manière des lions ; ils cherchent à se surpasser l'un l'autre en sauvagerie et en exaltation ; tout est permis à leur description, tout est autorisé : inceste, meurtre, forfait, crime ; le tumulte effréné de tous les instincts humains célèbre sa brûlante orgie. Ainsi qu'autrefois les bêtes affamées hors de leur prison, ce sont maintenant les passions ivres qui se précipitent rugissantes et menaçantes dans l'arène close de pieux. C'est une explosion violente, comme celle d'un pétard, une explosion unique qui dure cinquante ans, un bain de sang, une éjaculation, une sauvagerie sans pareille qui étreint et déchire toute la terre : à peine si l'on distingue l'individualité des voix et des figures dans cette orgie des forces humaines.

L'un reçoit de l'autre le feu sacré; chacun apprend du voisin; on se vole mutuellement; chacun combat pour surpasser et dépasser son camarade et, cependant, ce ne sont tous que des gladiateurs intellectuels d'une seule fête, des esclaves en rupture de chaîne, que fouette et pousse en avant le génie de l'heure. Il va les chercher dans les taudis louches et obscurs des faubourgs aussi bien que dans les palais : les Ben Jonson, petit-fils de maçon; les Marlowe, fils de savetier, les Massinger, issu d'un valet de chambre, les Philipp Sidney, riche et savant homme d'État; mais le tourbillon de feu les entraîne tous ensemble dans la même ronde infernale; aujourd'hui, ils sont fêtés, demain ils crèvent, les Kyd, les Heywoods, dans la misère la plus profonde; ou bien ils s'abattent affamés, comme Spenser dans King Street, tous menant une existence irrégulière, bretteurs, acoquinés à des prostituées, comédiens, escrocs, — mais poètes, poètes, poètes, ils le sont tous.

Shakespeare n'est que leur centre, « the very age and body of the time »; mais on n'a même pas le temps de le séparer des autres, tellement ce tumulte est impétueux, tellement les œuvres

pullulent pêle-mêle, tellement embrouillé est l'éche-
veau des passions. Et tout d'un coup, dans une
convulsion semblable à celle de sa naissance, cette
éruption, la plus splendide de l'humanité, s'arrête,
faisant place au néant : le drame est fini, l'Angleterre est épuisée, et pendant des centaines d'années le brouillard gris et humide de la Tamise
retombe lourdement sur l'esprit : dans un élan
unique, une génération a gravi tous les sommets
de la passion, elle en a fouillé dans les abîmes,
elle a ardemment mis à nu son âme exubérante
et folle. Maintenant le pays est là, fatigué, épuisé ;
un puritanisme vétilleux ferme les théâtres et met
ainsi fin aux effusions passionnées ; la Bible reprend
la parole, — la parole divine, — là où la plus
humaine de toutes les paroles avait osé la confession la plus brûlante de tous les temps et là où
une génération embrasée d'une ardeur sans pareille
avait en une seule fois vécu pour des milliers
d'autres.

Et, par un brusque tournant, le feu à éclipses
du discours se fixa à l'improviste sur nous-
mêmes :

— Comprenez-vous maintenant pourquoi je
ne commence pas mon cours par l'ordre histo-

rique, par le début chronologique, par le roi Arthur et par Chaucer, mais, au mépris de toutes les règles, par les Élisabéthains ? Et comprenez-vous que je vous demande avant tout de vous familiariser avec eux, de tâcher de vous mettre à l'unisson de cette suprême ardeur de vivre ? Car il n'y a pas d'intelligence philologique possible, si l'on ne pénètre pas la vie même; il n'y a pas d'étude grammaticale des textes sans la connaissance des valeurs; et vous, jeunes gens, il faut que vous aperceviez d'abord dans sa plus haute forme de beauté, dans la forme puissante de sa jeunesse et de sa plus extrême passion, un pays, une langue, dont vous voulez faire la conquête. C'est d'abord chez les poètes que vous devez entendre parler la langue, chez eux qui la créent et lui donnent sa perfection; il faut que vous ayez senti la poésie vivre et respirer dans votre cœur, avant que nous nous mettions à en faire l'anatomie. C'est pourquoi je commence toujours par les dieux, car la véritable Angleterre, c'est Élisabeth, c'est Shakespeare et les Shakespeariens; tout ce qui précède n'est que préparation, tout ce qui suit n'est qu'une contrefaçon boiteuse de cet élan original et hardi vers l'infini. Mais, jeunes gens, sentez, sentez vous-mêmes palpiter ici la plus vivante jeunesse de notre univers. Toujours on reconnaît chaque phénomène, chaque individualité dans ce qui en est la flamme, dans la passion. Car tout esprit vient du sang, toute pensée de la passion, toute passion de l'enthousiasme : c'est pourquoi, avant tous autres, Shakespeare et les siens, ceux qui, jeunes gens, vous rendront vraiment jeunes ! D'abord l'enthousiasme, ensuite l'application laborieuse; d'abord Lui, le Suprême et le Sublime, Shakespeare, ce splendide *tableau* d'ensemble de l'univers, avant l'étude des textes !

» Et maintenant, assez pour aujourd'hui, au revoir. »

Ce disant, la main s'arrondit en un geste brusque de clôture et marqua impérieusement la fin de la musique, tandis que lui-même descendait de sa table. Comme s'il eût été disloqué par une secousse, le faisceau des étudiants serrés l'un contre l'autre se défit aussitôt; des sièges craquèrent et remuèrent, des tables bougèrent; vingt gosiers jusqu'alors muets commencèrent tous à la fois à parler, à toussoter, à respirer largement; c'est maintenant qu'on pouvait se rendre compte combien magnétique avait été la fascination qui fermait toutes ces lèvres, soudain palpitantes. Le mouvement et le pêle-mêle qu'il y eut alors dans l'étroite salle n'en furent que plus ardents et plus vifs; quelques étudiants allèrent vers le professeur pour le remercier ou pour lui dire quelque chose; tandis que les autres, le visage en feu, échangeaient entre eux leurs impressions; mais aucun ne restait froid, aucun n'échappait à l'action de ce courant électrique, dont le contact était brusquement coupé et dont, malgré tout, les étincelles secrètes et les effluves semblaient pétiller encore dans l'air chargé de tension.

Quant à moi, je ne pouvais pas me remuer, j'étais comme frappé au cœur. Passionné que j'étais et capable seulement de saisir les choses d'une manière passionnée, dans l'élan fougueux de tous mes sens, je venais pour la première fois de me sentir conquis par un maître, par un homme; je venais de subir l'ascendant d'une puissance devant laquelle c'était un devoir et une volupté de s'incliner. Mon sang coulait dans mes veines avec chaleur, je m'en rendais compte; ma respiration était plus rapide; ce rythme impétueux avait pénétré profondément dans mon corps, et mes articulations subissaient son emprise impatiente.

Enfin je m'abandonnai à son attraction, et je me poussai lentement jusqu'au premier rang pour voir la figure de cet homme, car (chose étrange !), tandis qu'il parlait, je n'avais pas du tout aperçu ses traits, tellement ils étaient fondus dans la trame même de son discours. Alors encore, je ne pus d'abord apercevoir qu'un profil imprécis comme une silhouette : il était debout, à demi tourné vers un étudiant, la main familièrement posée sur l'épaule de celui-ci, dans le demi-jour de la fenêtre. Mais même ce mouvement superficiel avait une cordialité et une grâce que je n'aurais jamais cru possibles chez un pédagogue.

Sur ces entrefaites, quelques étudiants m'avaient remarqué, et, afin de ne pas passer à leurs yeux pour un intrus, je fis encore quelques pas vers le professeur et j'attendis qu'il eût terminé son entretien. C'est à ce moment-là que je pus examiner à loisir son visage : une tête de Romain, avec un front de marbre bombé, aux côtés luisants surmontés d'une vague de cheveux blancs rebroussés en crinière. C'était une structure d'une hardiesse imposante exprimant une forte intellectualité, mais au-dessous de la cernure profonde des yeux le visage s'amollissait vite ; il devenait presque féminin, par la rondeur lisse du menton et par la lèvre mobile, autour de laquelle les nerfs s'agitaient tantôt en forme de sourire, et tantôt en une inquiète déchirure. Ce qui donnait au front sa beauté virile, la plastique amollie de la chair le dissolvait dans des joues légèrement affaissées et une bouche changeante; imposante et autoritaire au premier abord, sa face vue de près produisait une impression de tension pénible.

L'attitude de son corps décelait une dualité analogue. Sa main gauche reposait indolemment sur la table ou du moins paraissait reposer, car sans cesse de petits battements crispés passaient sur les nodosités de ses doigts; ceux-ci, qui étaient minces et pour une main d'homme un peu trop délicats, un peu trop efféminés, peignaient avec impatience des figures invisibles sur le bois nu de la table, tandis que ses yeux recouverts de lourdes paupières étaient baissés et marquaient l'intérêt qu'il prenait à la conversation. Était-ce de l'inquiétude, ou bien l'ardeur de son discours laissait-elle encore sa trace dans ses nerfs agités ? En tout cas, le tressaillement involontaire de sa main était en contradiction avec le caractère de vigilance paisible de son visage, qui, épuisé et pourtant attentif, paraissait plongé tout entier dans l'entretien avec l'étudiant.

Enfin ce fut mon tour; je m'avançai, je dis mon intention, et aussitôt son œil s'éclaira en tournant vers moi sa pupille à l'éclat presque bleu. Pendant deux ou trois bonnes secondes interrogatrices, cette lueur fit le tour de mon visage, depuis le menton jusqu'à la chevelure; sans doute que cet examen doucement inquisiteur me fit rougir, car le professeur répondit à mon trouble par un rapide sourire, en disant :

— Vous voulez donc vous inscrire à mon cours; il faudra que nous en causions ensemble d'une manière plus précise. Excusez-moi de ne pas le faire tout de suite. J'ai maintenant à régler encore quelques questions; mais attendez-moi en bas devant le portail et ensuite vous m'accompagnerez jusque chez moi.

En même temps il me tendit la main, une main délicate et mince, dont le contact était à mes doigts plus léger qu'un gant, tandis que déjà il était tourné avec affabilité vers le plus proche des étudiants qui attendaient là.

Je restai donc devant le portail, pendant dix minutes, le cœur battant. Qu'allais-je lui dire, s'il me questionnait sur mes études ? Comment lui avouer que j'avais toujours écarté de mon travail aussi bien que de mes heures de loisir tous sujets littéraires ? Ne me mépriserait-il pas, ou tout au moins ne m'exclurait-il pas aussitôt de ce cercle de feu par lequel je me sentais aujourd'hui magiquement embrasé ? Mais à peine se fut-il approché d'un pas rapide et eut-il jeté sur moi un bon sourire, que sa présence suffit déjà à m'ôter toute gêne ; et même, sans qu'il eût insisté, j'avouai (incapable de rien dissimuler devant lui) que j'avais assez mal employé mon premier semestre. De nouveau son regard de chaleureux intérêt se posa sur moi. « La pause, elle aussi, fait partie de la musique », sourit-il pour m'encourager ; et, apparemment pour ne pas avoir à me rendre davantage honteux de mon ignorance, il se contenta de me questionner au sujet de choses personnelles, au sujet de mon pays natal et de l'endroit où je pensais me loger. Lorsque je lui eus dit que jusqu'à présent je n'avais pas cherché de chambre, il m'offrit son concours et me conseilla d'aller voir d'abord dans sa maison, car une vieille femme à demi sourde avait à y louer une gentille chambrette dont plusieurs de ses étudiants avaient été chaque fois satisfaits. Et, quant au reste, il s'en occuperait lui-même : si mon intention était réellement de prendre l'étude au sérieux, il considérait comme son devoir le plus cher de m'être utile à tous égards.

Lorsque nous fûmes arrivés devant sa maison, il me tendit de nouveau la main et m'invita à lui rendre visite chez lui le lendemain soir, afin que nous élaborions en commun un plan d'études. Ma reconnaissance pour la bonté inespérée de cet homme était si grande que je ne pus qu'effleurer respectueusement sa main et ôter mon chapeau d'un air embarrassé, en oubliant de le remercier par des paroles.

★

Il va de soi que je louai aussitôt la chambrette dans la maison du professeur. Même, si elle ne m'eût pas plu, je ne l'en aurais pas moins prise, et cela uniquement pour avoir l'impression, naïvement reconnaissante, de me trouver spatialement plus près de ce maître enchanteur qui en une heure m'avait donné plus que tous les autres ensemble. Mais la petite chambre était ravissante :

située au-dessus de l'appartement de mon maître, rendue un peu obscure par le pignon de bois qui la surmontait, elle offrait de la fenêtre une large vue à la ronde sur les toits voisins et sur le clocher; dans le lointain on distinguait un carré de verdure et, au-dessus, les nuages, les chers nuages de ma patrie. Une vieille petite femme, sourde comme un pot, s'occupait avec les soins touchants d'une mère de ses pupilles passagers. En deux minutes je me mis d'accord avec elle, et, une heure plus tard, ma malle grinçante faisait crier en montant l'escalier de bois.

Ce soir-là, je ne sortis plus; j'oubliai même de manger. Mon premier mouvement avait été de tirer de ma malle le Shakespeare, que par hasard j'avais apporté, impatient de le lire (c'était la première fois depuis des années); ma curiosité avait été enflammée jusqu'à la passion par le discours du professeur et je lus l'œuvre du poète anglais, comme je ne l'avais jamais fait auparavant. Peut-on expliquer des changements semblables? Mais, tout d'un coup, je découvrais dans ce texte un univers; les mots se précipitaient sur moi, comme s'ils me cherchaient depuis des siècles; le vers courait, en m'entraînant, comme une vague de feu, jusqu'au plus profond de mes veines, de sorte que je sentais à la tempe cette étrange sorte de vertige éprouvé en rêvant qu'on vole au-dessus de la terre.

Je vibrais, je tremblais; je sentais mon sang couler plus chaud en moi; c'était comme une fièvre qui brusquement m'avait saisi; rien de cela ne m'était jamais arrivé précédemment et, pourtant, je n'avais fait qu'entendre un discours vibrant. Mais l'enivrement de ce discours persistait sans doute encore en moi; si je répétais une ligne tout haut, je sentais que ma voix imitait inconsciemment *la sienne*, que les phrases bondissaient suivant le même rythme impétueux et que mes mains avaient envie, tout comme *les siennes*, de planer et de s'envoler. Comme par un coup de magie, j'avais, en une heure de temps, renversé le mur qui jusqu'alors me séparait du monde de l'esprit et je me découvrais, moi, passionné par essence, une nouvelle passion qui m'est restée fidèle jusqu'à aujourd'hui : le désir de jouir de toutes les choses de la terre par le truchement de l'âme des mots.

Par hasard, j'étais tombé sur *Coriolan*, et je fus pris comme d'un vertige, lorsque je trouvai en moi tous les éléments de cet homme, le plus singulier de tous les Romains : fierté, orgueil, colère, raillerie, moquerie, tout le sel, tout le plomb, tout l'or, tous les métaux du sentiment. Quel plaisir nouveau pour moi que de découvrir, de comprendre tout d'un coup magiquement cela ! Je lus et je lus jusqu'à en avoir les yeux brûlants; lorsque je regardai ma montre, il était trois heures et demie du matin. Presque effrayé de cette nouvelle puissance qui, pendant six heures, avait fait vibrer tous mes sens, tout en les stupéfiant, j'éteignis la lumière, mais en moi-même les images continuèrent de briller et de fulgurer; je pus à peine dormir dans le désir et l'attente du lendemain qui, pensais-je, élargirait cet univers qui s'était découvert en moi d'une manière si enchanteresse et en ferait entièrement ma propriété.

★

Mais le lendemain matin m'apporta une déception. Mon impatience m'avait fait arriver un des premiers dans la salle où mon maître (c'est ainsi que je l'appellerai désormais) devait faire son cours sur la phonétique anglaise. Son entrée suffit à me faire peur : était-ce donc là le même homme qu'hier, ou bien étaient-ce seulement mon esprit excité et mon souvenir qui avaient fait de lui un Coriolan enflammé, qui sur le Forum brandit la parole comme la foudre, intrépide comme un héros, subjuguant et domptant toute résistance ?

Celui qui entrait ici d'un pas menu et traînant était un vieil homme fatigué. Comme si un halo pâle et lumineux eût quitté son visage, je remarquai maintenant, de la première rangée de bancs où je m'étais placé, que ses traits d'une matité presque maladive étaient sillonnés de rides profondes et de larges crevasses; des ombres bleues creusaient comme des rigoles dans le gris flasque des joues. Des paupières trop lourdes ombrageaient les yeux du professeur posés sur son cahier de cours; et la bouche aux lèvres décolorées et trop minces ne donnait à la parole aucune sonorité : où était donc son allégresse, cet enthousiasme qui s'exaltait de sa propre jubilation ? Même la voix me semblait étrangère; comme désenchantée par ce sujet grammatical, elle allait avec raideur d'un pas monotone et fatigant à travers un sable qui faisait entendre un crissement sec.

Je fus pris d'inquiétude. Ce n'était, certes, pas

là l'homme que j'attendais avec impatience depuis la première heure de mon réveil : qu'était devenu son visage, qui, hier, brillait sur moi comme un astre ? Ici un professeur usé déroulait froidement sa matière ! J'écoutais avec une anxiété toujours nouvelle l'accent de sa parole, pour voir si malgré tout le ton d'hier ne reparaîtrait pas, cette vibration chaude qui avait étreint mon être comme une main sonore et qui l'avait haussé jusqu'au ton de la passion. Mon regard se posait sur lui toujours plus inquiet, palpant, en quelque sorte, plein de déception, ce visage devenu étranger : indéniablement la figure était la même, mais elle semblait vidée et dépouillée de toutes forces créatrices; elle était lasse et vieillie, comme le masque parcheminé d'un vieil homme. Une pareille chose était-elle possible ? Pouvait-on être si jeune à une certaine heure et, l'heure d'après, si vieux ? Y avait-il des bouillonnements de l'esprit qui soudain transforment le visage aussi bien que la parole et qui vous rajeunissent de dizaines d'années ?

La question me tourmentait. Je sentais brûler en moi comme une soif de mieux connaître cet homme au double aspect. Et, obéissant à une inspiration subite, à peine eut-il quitté sa chaire, en passant devant nous sans nous regarder, que je courus à la bibliothèque et demandai les ouvrages qu'il avait écrits. Peut-être qu'aujourd'hui il était tout simplement fatigué et que son élan avait été étouffé par une indisposition physique : mais ici, dans la forme du livre fixée pour durer, je trouverais forcément le moyen de pénétrer et de comprendre sa personnalité qui m'intriguait si fortement. Le garçon m'apporta les livres : je fus surpris de voir qu'il y en avait si peu. En vingt ans, cet homme déjà vieillissant n'avait donc publié que cette mince série de brochures détachées, d'introductions, de préfaces, une thèse sur l'authenticité du *Périclès* de Shakespeare, un parallèle entre Hœlderlin et Shelley (cela, il est vrai, à une époque où aucun des deux n'était considéré par son peuple comme un génie) et autre pacotille philologique.

A vrai dire, tous ces écrits annonçaient comme étant prêt à être publié un ouvrage en deux volumes intitulé « *Le Théâtre du Globe, sa description, ses auteurs* ». Mais, bien que cette annonce remontât déjà à vingt ans, le bibliothécaire me confirma, sur la demande que je lui en fis expressément, le fait que l'ouvrage n'avait jamais paru. Un peu craintif et déjà n'ayant plus qu'un faible courage, je feuilletai ces brochures, dans l'ardent espoir d'y entendre de nouveau la voix enivrante et son rythme impétueux. Mais ces écrits marchaient d'un pas de constante gravité; nulle part n'y frémissait le rythme à la chaude cadence, bondissant au-dessus de lui-même comme la vague au-dessus de la vague, — le rythme de ce discours enivrant. « Quel dommage ! » soupira en moi une voix intérieure; j'avais envie de me battre moi-même, tellement je frémissais de colère et de méfiance à l'égard de mon sentiment qui s'était trop vite et trop crédulement abandonné à *lui*.

Mais l'après-midi, au séminaire, je retrouvai mon maître. Tout d'abord, il ne parla pas lui-même. Suivant l'usage des « collèges » anglais, cette fois-ci deux douzaines d'étudiants étaient répartis, pour la discussion, en deux camps, parlant pour et contre; le sujet était encore emprunté à son Shakespeare bien-aimé : il s'agissait de savoir si Troïlus et Cressida (dans son œuvre préférée) devaient être considérés comme des figures de parodie et l'œuvre elle-même comme une comédie satirique ou comme une tragédie masquée par l'ironie. Bientôt, sous l'action d'une main habile, cet entretien simplement intellectuel s'enflamma **et se** chargea d'une animation électrique. Les arguments bondissaient avec acuité contre des assertions manquant de vigueur; des interruptions et des exclamations stimulaient vivement l'ardeur et l'impétuosité de la discussion, si bien que ces jeunes gens arrivèrent presque à se manifester mutuellement de l'hostilité.

C'est alors seulement, lorsque les étincelles se mirent à crépiter, que le professeur intervint brusquement, relâcha l'étreinte trop violente, en ramenant adroitement la discussion à son objet, mais en même temps pour lui imprimer, par une impulsion secrète, un puissant élan spirituel s'élevant jusqu'à l'infini; et ainsi il fut subitement au centre de ce jeu de flammes dialectiques, lui-même plein d'une allègre excitation, aiguillonnant et modérant à la fois la lutte, maître de cette vague déferlante d'enthousiasme juvénile et lui-même débordé par elle.

Appuyé à la table, les bras croisés sur la poitrine, il regardait de l'un à l'autre, souriant à celui-ci, encourageant d'un signe secret celui-là à la riposte, et son œil brillait du même feu que la veille : je sentais qu'il était obligé de se maîtriser pour ne point ôter lui-même à tous, d'un seul coup, la parole de la bouche. Mais il se contenait avec violence; je le voyais à ses mains, qui pressaient toujours plus fortement sa poitrine à la manière d'une douve; je le devinais à ses commissures frémissantes, qui retenaient déjà avec peine le mot palpitant. Et, subitement, ce fut plus fort que lui; il se jeta avec ivresse dans la discussion, à la manière d'un plongeur; d'un geste énergique de sa main brandie, il coupa en deux le tumulte, comme fait la baguette d'un chef d'orchestre : aussitôt tous se turent et alors il résuma tous les arguments, avec sa manière harmonieuse. Et, tandis qu'il parlait, il reprenait son visage de la veille; les rides disparaissaient derrière le jeu flottant des nerfs, son cou et sa stature se tendaient en un geste hardi et dominateur et, abandonnant sa posture courbée de guetteur, il s'élança dans le discours, comme dans un flot torrentiel.

L'improvisation l'emporta : je commençai à comprendre que, d'un tempérament froid lorsqu'il était seul, il lui manquait, dans un cours didactique ou dans la solitude de son cabinet, cette matière enflammée qui, ici, dans notre groupe pressé d'étudiants fascinés et haletants, faisait exploser la cloison recouvrant son être véritable; il avait besoin (oh ! que je le sentais !) de notre enthousiasme, pour en avoir lui-même, de notre intérêt, pour ses effusions intellectuelles, de notre jeunesse, pour ses élans de jeunesse. Comme un joueur de cymbale se grise du rythme toujours plus sauvage de ses mains frénétiques, son discours devenait toujours plus puissant, plus enflammé, plus coloré et plus ardent; et plus notre silence était profond (malgré soi on sentait dans l'espace notre halètement), plus s'élevait la hauteur de son exposé, plus il était captivant et plus il ressemblait à un hymne. En ces minutes-là tous nous nous donnions uniquement à lui, nos sens et notre esprit entièrement possédés par cette exaltation.

Et de nouveau, lorsqu'il eut terminé soudain, en faisant allusion au discours de Gœthe sur Shakespeare, notre excitation tomba violemment. Et, de nouveau, comme la veille, il s'appuya épuisé contre la table, le visage blême, mais encore parcouru par les petites vibrations et les frémissements des nerfs, et dans ses yeux luisaient étrangement la volupté de l'effusion qui durait encore, comme chez une femme qui vient de s'arracher à une étreinte souveraine. J'aurais eu scrupule de m'entretenir maintenant avec lui, mais par hasard son regard tomba sur moi, et indéniablement il sentit ma gratitude enthousiasmée, car il me sourit amicalement et, légèrement tourné vers moi, sa main entourant mon épaule, il me rappela que je devais aller le trouver chez lui, le soir même.

A sept heures précises, je fus donc exact au rendez-vous. Avec quel tremblement l'adolescent que j'étais franchit ce seuil pour la première fois ! Rien n'est plus brûlant que le respect d'un jeune homme, rien n'est plus timide, plus féminin que son inquiète pudeur. On me conduisit dans son cabinet de travail; une pièce à demi obscure où je ne vis d'abord, à travers les vitres des bibliothèques, que les dos bariolés d'une multitude de livres. Au-dessus de la table était accrochée *l'École d'Athènes de* Raphaël, tableau qu'il aimait particulièrement (comme il me l'expliqua par la suite), parce que toutes les catégories d'enseignements, toutes les formes de l'esprit y sont symboliquement unies en une synthèse parfaite. C'était la première fois que je voyais ce tableau. Malgré moi, je crus découvrir dans la figure volontaire de Socrate une ressemblance avec le front de mon maître. Derrière brillait un marbre blanc, une belle réduction du buste du *Ganymède* de Paris, avec, près de là, le *Saint Sébastien* d'un vieux maître allemand : beauté tragique qui probablement n'avait pas été placée par hasard à côté d'une beauté voluptueuse.

J'attendais le cœur battant, aussi silencieux que toutes les œuvres d'art, noblement muettes, qui étaient là tout autour; ces objets exprimaient symboliquement une beauté spirituelle nouvelle pour moi, dont je n'avais jamais eu aucun pressentiment et que je ne comprenais pas encore très nettement, bien que je me sentisse déjà prêt à communier fraternellement avec elle. Mais je n'eus que peu de temps pour contempler tout cela, car voici que celui que j'attendais entra et se dirigea vers moi; de nouveau ce regard mollement enveloppant et qui brûlait comme d'un feu caché, ce regard qui, à ma propre surprise, dégelait et épanouissait ce qu'il y avait en mon être de plus secret, se posa sur moi. Je lui parlai aussitôt avec une liberté complète, comme à un ami, et, lorsqu'il me questionna sur les études que j'avais faites à Berlin, soudain monta malgré moi à mes lèvres (tandis que j'en étais tout effrayé) le récit de la visite de mon père, et je confirmai à cet étranger le serment secret que j'avais fait de me livrer au travail avec le sérieux le plus absolu. Il me regarda d'un air ému :

— Non seulement avec sérieux, mon garçon, — dit-il ensuite, — mais surtout avec passion. Celui qui n'est pas passionné devient tout au plus un pédagogue; c'est toujours par l'intérieur qu'il faut aller aux choses, toujours, toujours en partant de la passion.

Sa voix devenait de plus en plus chaude, et la pièce de plus en plus obscure. Il me parla beaucoup de sa propre jeunesse, me raconta comment lui aussi avait follement commencé et comment il ne découvrit que tard sa propre vocation : je n'avais qu'à être courageux et, dans la mesure de ses moyens, il m'aiderait; je pouvais m'adresser à lui sans crainte, quels que fussent mes désirs et mes questions. Jamais encore personne ne m'avait parlé avec autant d'intérêt, avec une compréhension aussi profonde de la vie. Je tremblais de gratitude et j'étais heureux que l'obscurité cachât mes yeux humides.

J'aurais ainsi pu rester là des heures, sans faire

attention au temps, lorsqu'on frappa légèrement. La porte s'ouvrit : une mince silhouette entra, comme une ombre. Le professeur se leva et dit, en matière de présentation : « Ma femme. » L'ombre svelte approcha indistincte, mit une petite main dans la mienne et dit alors, tournée vers lui : « Le dîner est prêt. » — « Oui, oui, je le sais », répondit-il hâtivement et (c'est du moins ce qu'il me sembla) d'un air un peu contrarié. Quelque chose de froid parut soudain être passé dans sa voix et, comme maintenant la lumière électrique flamboyait, il redevint l'homme vieilli de l'austère salle de cours qui, d'un geste las, me congédia.

★

Je passai les deux semaines qui suivirent dans une fureur passionnée de lire et d'apprendre. Je sortais à peine de ma chambre; pour ne pas perdre de temps, je prenais mes repas debout; j'étudiais sans arrêt, sans interruption, presque sans sommeil. Il en était de moi comme de ce prince du conte oriental qui, brisant l'un après l'autre les sceaux posés sur les portes de chambres fermées, trouve dans chacune d'elles des monceaux toujours plus gros de bijoux et de pierres précieuses et explore avec une avidité toujours plus grande l'enfilade de ces pièces, impatient d'arriver à la dernière. C'est exactement de la même façon que je me précipitais d'un livre dans un autre, enivré par chacun, mais jamais rassasié : mon impétuosité était maintenant passée dans le domaine de l'esprit.

J'eus alors un premier pressentiment de l'immensité inexplorée de l'univers intellectuel; et la séduction en était pour moi aussi grande que celle qu'avait exercée d'abord sur ma personne le monde aventureux des villes; mais en même temps j'éprouvais la crainte puérile d'être impuissant à prendre possession de cet univers; aussi j'économisais sur mon sommeil, mes plaisirs, mes conversations, sur toutes formes de distraction, uniquement pour mieux profiter du temps dont pour la première fois je comprenais tout le prix. Mais ce qui enflammait de telle sorte mon zèle, c'était surtout la vanité de produire sur mon maître une impression avantageuse, de ne pas décevoir sa confiance, d'obtenir de lui un sourire d'approbation et de l'attacher à moi, comme j'étais attaché à lui. La moindre occasion me servait d'épreuve; sans cesse j'exerçais mes sens (maladroits par nature, mais devenus remarquablement subtils) — à lui imposer, à le surprendre : si dans son cours il nommait un auteur dont l'œuvre m'était étrangère, l'après-midi je me mettais en chasse, afin de pouvoir le lendemain faire vaniteusement étalage de mes connaissances au cours de la discussion.

Un désir exprimé par lui tout à fait incidemment et à peine aperçu par les autres devenait pour moi un ordre : ainsi il suffit d'une observation faite négligemment par lui au sujet de l'éternelle fumerie des étudiants pour que, aussitôt, je jetasse ma cigarette allumée et pour que je renonçasse tout à coup, pour toujours, à l'habitude ainsi censurée. Comme la parole d'un évangéliste, la sienne était pour moi à la fois loi et faveur; sans cesse aux aguets, mon attention toujours tendue saisissait avidement chacune des remarques émises par lui avec indifférence. Je faisais mon bien, comme un avare, de chacune de ses paroles et de chacun de ses gestes : dans ma chambre je palpais avec tous mes sens et gardais passionnément ce que j'avais ainsi acquis; et de même que je ne voyais en lui que le guide, de même mon ambition intolérante ne voyait dans tous mes camarades que des ennemis, que ma volonté ardente se jurait chaque jour à nouveau de surpasser et de vaincre.

Sentait-il lui-même tout ce qu'il était pour moi, ou bien s'était-il mis à aimer cette fougue de mon être, toujours est-il que mon maître me distingua bientôt d'une manière particulière, en me manifestant un intérêt visible. Il conseillait mes lectures, il me poussait, moi, tout nouveau, d'une manière presque injuste, au premier rang des discussions collectives, et souvent il m'autorisait à venir le soir m'entretenir familièrement avec lui. Alors il prenait le plus souvent un des livres posés contre le mur et il lisait, — de cette voix sonore qui dans l'animation devenait toujours plus claire et plus haute d'un ton, — des extraits de poèmes ou de tragédies, ou bien il expliquait des problèmes controversés; dans ces deux premières semaines d'enivrement, j'ai appris plus de choses sur l'essence de l'art que jusqu'alors en dix-neuf ans.

Nous étions toujours seuls durant cette heure pour moi trop brève. Vers huit heures, on frappait doucement à la porte : c'était sa femme qui l'avertissait que le dîner était prêt. Mais jamais elle n'entrait dans la pièce, obéissant visiblement à la consigne de ne pas interrompre notre entretien.

★

Ainsi quinze jours s'étaient écoulés, des jours du début de l'été, remplis à éclater et surchauffés, lorsqu'un matin la force de travail se brisa en moi, comme un ressort trop tendu. Déjà avant, mon maître m'avait averti, me disant de ne pas pousser à l'excès l'application, de prendre de temps en temps un jour de repos et d'aller à la campagne; voici que brusquement cette prédiction s'accomplissait : je me réveillai apathique après un sommeil trouble; les lettres dansaient devant moi comme des têtes d'épingles, dès que j'essayais de lire. Fidèle comme un esclave, même à la moindre parole de mon maître, je résolus aussitôt d'obéir et d'intercaler un jour de liberté et de récréation entre les jours avidement consacrés à l'étude. Je sortis dès le matin; je visitai pour la première fois la ville, en partie moyenageuse; je grimpai les centaines de marches conduisant au clocher, uniquement pour donner du nerf à mon corps, et, de la plate-forme, je découvris un petit lac dans le cercle de la verdure.

En ma qualité de septentrional né au bord de la mer, j'aimais passionnément la natation, et, précisément ici, au haut du clocher, vers lequel les prairies mouchetées brillaient comme un pays d'étangs verts, je fus saisi brusquement d'un désir irrésistible, comme s'il m'eût été apporté par le vent de mon pays, celui de me plonger dans le cher élément. Et à peine, l'après-midi, eus-je déniché l'établissement de bains et eus-je nagé quelques brassées que mon corps recommença à se sentir bien en train; les muscles de mes membres reprenaient une souplesse et une élasticité qu'ils n'avaient pas connues depuis des semaines; le soleil et le vent jouant sur ma peau nue firent renaître en moi, en une demi-heure, le garçon impétueux d'auparavant, qui se colletait sauvagement avec ses camarades et qui risquait sa vie pour une folie; j'avais tout oublié des livres et de la science, tout entier à m'ébrouer et à m'étirer.

Avec cet exclusivisme qui m'était particulier, repris par une passion depuis longtemps délaissée, j'avais barboté pendant deux heures dans l'élément retrouvé, j'avais, trente fois peut-être, plongé en sautant du haut de la planche, pour me décharger, par cet exercice, du trop-plein de ma force;

deux fois j'avais traversé le lac et ma fougue n'était pas encore épuisée. M'ébattant et vibrant de tous mes muscles tendus, je cherchais autour de moi quelle épreuve nouvelle je pourrais bien tenter, impatient de faire quelque chose de fort, de témé-raire et de fou.

Voici que de l'autre côté, dans le bain des femmes, la planche cria, et je sentis se propager, en frémissant, jusque dans la charpente l'élan d'un saut puissant. En même temps un corps svelte de femme, auquel la courbe du saut donnait la forme d'un croissant d'acier, s'élevait dans l'espace et redescendait la tête en bas. Pendant un moment le plongeon creusa un tourbillon clapotant surmonté d'une blanche écume; puis la silhouette toute tendue reparut à la surface et se dirigea par des brasses nerveuses vers l'île qu'il y avait au milieu du lac.

« La suivre ! la rattraper ! » telle fut mon idée, l'ardeur sportive emportant mes muscles. Aussitôt je me jetai à l'eau et, les épaules en avant, je nageai sur ses traces, en accélérant toujours mon allure. Mais, remarquant qu'elle était pour-suivie et également faite au sport, la nageuse pro-fita avec entrain de son avance, obliqua adroitement en passant devant l'île, pour ensuite reprendre hâtivement le chemin du retour. Moi, reconnaissant vite son intention, je me jetai aussi sur la droite et nageai avec tant de vigueur que ma main en s'allongeant était déjà dans son sillage et que nous n'étions plus qu'à environ un empan l'un de l'autre. Voici que, par une ruse hardie, la fugitive plongea brusquement, pour reparaître ensuite, quelques minutes plus tard, contre la barrière de la section des femmes qui empêchait la continuation de la poursuite. Toute ruisselante et victorieuse, elle monta l'escalier : pendant un instant elle fut obligée de s'arrêter, la main pressée sur sa poitrine; manifestement la respiration lui manquait; mais ensuite elle se retourna et, lorsquelle m'eut vu arrêté à la limite, elle rit vers moi, d'un air de triomphe et les dents brillantes. Je ne pouvais pas très bien distinguer son visage sous la coiffe de bain et contre le vif soleil; je me rendais seulement compte que son rire éclatait ironique et clair dans la direction du vaincu.

J'étais à la fois contrarié et content : pour la première fois depuis Berlin, j'avais senti sur moi ce regard flatteur d'une femme; peut-être était-ce là une aventure qui m'attendait ? En trois brasses,

65

je regagnai le bain des hommes; je jetai prestement mes vêtements sur ma peau encore mouil-
lée, afin de pouvoir être assez tôt à la sortie pour
l'épier. J'attendis dix minutes; puis arriva (facile
à reconnaître à ses formes minces d'éphèbe)
mon orgueilleuse adversaire, qui marchait d'un
pas léger et qui l'accéléra encore, dès qu'elle me
vit, dans l'intention de m'ôter la possibilité de
l'aborder. Elle courait, avec des muscles aussi
agiles que précédemment quand elle nageait;
toutes les articulations obéissaient nerveusement
à ce corps mince d'adolescent, peut-être un peu
trop mince. J'éprouvais le besoin véritablement
torturant de la rattraper sans me faire remarquer,
tandis qu'elle volait en quelque sorte, pour
m'échapper. Enfin j'y réussis; à un tournant
du chemin, je m'avançai habilement en obli-
quant, je levai de très loin mon chapeau à la manière
des étudiants et je lui demandai, avant qu'elle eût
eu le temps de me dévisager, si je pouvais l'accompagner. Elle jeta de côté un regard moqueur, et
sans ralentir le rythme ardent de sa marche, elle
me répondit avec une ironie presque provocante :
— Pourquoi pas, si je ne vais pas trop vite
pour vous ? Je suis très pressée.

Encouragé par cette absence de préjugés, je devins plus pressant; je lui posai une douzaine de questions inspirées par la curiosité et pour la plupart sottes, mais auxquelles elle n'en répondait pas moins de bon cœur et avec une liberté si stupéfiante que mes desseins étaient par là, à vrai dire, plus desservis que favorisés. Car mon code berlinois relatif à l'art d'aborder les femmes prévoyait plutôt la résistance et la raillerie qu'un entretien aussi franc accompagnant une marche au pas accéléré : ainsi j'eus pour la seconde fois le sentiment de m'être attaqué très maladroitement à une adversaire plus forte que moi.

Mais encore ce ne fut pas là le pire. Car, lorsque, multipliant mon insistance indiscrète, je lui demandai où elle habitait, voici que vivement deux yeux couleur noisette, pleins de fierté, se tournèrent vers moi et étincelèrent, tandis qu'elle ne retenait plus son rire : « Dans votre voisinage le plus immédiat », dit-elle. Stupéfait, je la regardai fixement. Ses yeux se tournèrent encore une fois de mon côté pour voir si la flèche du Parthe avait porté, et véritablement elle m'était entrée dans la gorge.

C'en fut aussitôt fini de ce ton insolent que

j'avais rapporté de Berlin; je balbutiai d'une voix mal assurée et presque humblement en lui demandant si mon accompagnement ne la gênait pas.

— Nullement, fit-elle en souriant de nouveau; nous n'avons plus que deux rues et nous pouvons bien les parcourir ensemble.

A ce moment-là, mon sang bourdonna à mes oreilles : c'est à peine si je pouvais avancer. Mais que faire ? La quitter maintenant, c'eût été encore une plus grande offense : il me fallut donc marcher avec elle jusqu'à la maison où j'habitais. Alors elle s'arrêta soudain, me tendit la main et me dit négligemment :

— Merci de m'avoir accompagnée. Vous viendrez ce soir à six heures voir mon mari, n'est-ce pas ?

Je dus devenir tout rouge de honte. Mais avant que j'eusse pu m'excuser, elle avait monté prestement l'escalier et j'étais là immobile, songeant avec terreur aux propos stupides que je m'étais insolemment et balourdement permis. En idiot fanfaron que j'étais, je l'avais invitée, comme une simple ouvrière couturière, à une excursion dominicale; j'avais célébré son corps d'une manière sottement banale, puis j'avais moulu le refrain de l'étudiant solitaire; il me semblait que j'allais mourir de honte, tellement le dégoût de moi-même m'étouffait. Et voilà donc qu'elle s'en allait toute rieuse, fière jusqu'aux oreilles, trouver son mari et lui révéler mes sottises, — à lui, dont le jugement m'était plus précieux que celui de tous les hommes, aux yeux de qui paraître ridicule me semblait plus douloureux que d'être fouetté tout nu sur la place publique !

Je vécus jusqu'au soir des heures atroces : mille fois je me représentai par avance la façon dont il me recevrait avec son fin sourire ironique. Ah ! je le savais, il était maître dans l'art des paroles sardoniques et il s'entendait comme pas un à aiguiser un trait d'esprit qui vous piquait et vous brûlait jusqu'au sang. Un condamné ne peut pas aller à l'échafaud avec plus de terreur que je n'en ressentais alors dans l'escalier qui me conduisait chez lui, et à peine fus-je entré dans son cabinet de travail, retenant difficilement un lourd sanglot, que mon trouble s'accrut encore, car je crus bien avoir entendu, dans la pièce à côté, bruire le frou-frou d'une robe de femme. A coup sûr, elle était là aux aguets, l'orgueilleuse, à se repaître de mon embarras et à faire des gorges chaudes, en jouissant de la déconfiture de ce jeune bavard.

Enfin, mon maître arriva. « Qu'avez-vous donc ? » — me demanda-t-il avec sollicitude. « Vous êtes bien pâle aujourd'hui. » Je prétendis que non, attendant en moi-même le coup qui allait me frapper. Mais l'exécution redoutée ne se produisit pas. Il parla, tout comme à l'ordinaire, de choses littéraires; j'avais beau sonder ses paroles avec anxiété, aucune d'elles ne cachait la moindre allusion ou la moindre ironie, et, d'abord étonné, puis tout heureux, je reconnus qu'elle n'avait rien dit.

A huit heures on frappa à la porte. Je pris congé : mon cœur était de nouveau d'aplomb dans ma poitrine. Lorsque je fus derrière la porte, elle vint à passer : je la saluai, son regard me sourit légèrement; et, mon sang circulant en moi largement, j'interprétai ce pardon comme la promesse de continuer à se taire.

★

A partir de ce jour-là, une nouvelle façon d'observer les choses commença pour moi;

jusqu'alors, ma vénération pieusement puérile considérait tellement le maître, que j'adorais comme un génie d'un autre monde, que j'en oubliais complètement de faire attention à sa vie privée, à sa vie terrestre. Avec cette exagération qui caractérise tout véritable enthousiasme, j'avais déblayé complètement son existence de toutes les fonctions quotidiennes de notre monde méthodiquement ordonné. Et de même que, par exemple, quelqu'un qui pour la première fois est amoureux n'ose déshabiller en pensée la jeune fille qu'il idolâtre et la regarde comme semblable aux mille autres personnes qui portent une robe, de même je n'osais glisser un regard dans son existence privée : je ne voyais en lui qu'un être toujours sublime, dégagé de toutes les vulgarités matérielles, en sa qualité de messager du verbe, de réceptacle de l'esprit créateur.

Or, maintenant que cette aventure tragi-comique venait de mettre subitement sa femme sur ma route, je ne pus pas m'empêcher d'observer plus intimement son existence familiale et conjugale; véritablement malgré moi, une curiosité de guetteur inquiet m'ouvrit les yeux, et à peine ce regard fureteur naquit-il en moi qu'il se troubla aussitôt, car l'existence de cet homme, à l'intérieur de son domaine propre, était étrange et constituait une énigme presque angoissante. La première fois que, peu de temps après cette rencontre, je fus invité à sa table et que je le vis, non pas tout seul mais avec sa femme, j'eus un singulier soupçon que la communauté de vie qu'il y avait entre eux était tout à fait bizarre; et plus je pénétrai dans le cercle intime de cette maison, plus ce sentiment devint troublant pour moi. Non pas qu'en paroles ou dans les gestes un antagonisme ou un désaccord entre eux se fût montré : au contraire, c'était le néant, c'était l'absence complète de tout sentiment d'affection ou de désaffection, qui les enveloppait et qui les rendait impénétrables, d'une manière si étrange; c'était un calme lourd et orageux du sentiment qui rendait cette atmosphère plus pénible que le déchaînement d'une dispute ou les éclairs d'une rancœur cachée. Extérieurement rien ne trahissait l'irritation ou la tension; mais on n'en sentait que plus fortement l'existence d'une mutuelle antipathie morale. Car les questions et les réponses de leur étrange conversation ne faisaient, pour ainsi dire, que s'effleurer rapidement du bout des doigts; jamais il n'y avait entre eux de cordialité, la main dans la main, et même vis-à-vis de moi, lors des repas, la parole du professeur restait hésitante et gênée. Et parfois la conversation était glacée. tant que nous ne revenions pas au travail; elle se concentrait en un vaste bloc de silence, que personne n'osait plus rompre et dont le froid pesant oppressait ensuite mon âme des heures entières.

Ce qui m'effrayait surtout, c'était l'isolement complet du professeur. Cet homme ouvert, d'une nature absolument expansive, n'avait pas d'amis; ses élèves seuls étaient sa société et sa consolation. Il n'était lié à ses collègues de l'Université que par des rapports d'une correction polie; il n'allait jamais en société; souvent, il restait des jours entiers sans sortir de sa maison, si ce n'est pour faire les vingt pas qu'il y avait jusqu'à l'Université. Il entassait tout en lui-même silencieusement, sans se confier ni aux hommes, ni à l'écriture. Et maintenant aussi je compris le caractère éruptif, le jaillissement fanatique de ses discours au milieu des étudiants : c'était son être qui s'épanchait soudain après des journées de refoulement; toutes les pensées qu'il portait en lui, muettes, se précipitaient avec cette fougue que les cavaliers appellent expressivement le feu du cheval; elles s'élançaient en sifflant, hors du parc du silence, dans cette chasse à courre de paroles.

Chez lui il parlait très rarement, à sa femme moins qu'à tout autre. Et avec une surprise inquiète et presque honteuse, je reconnaissais moi-même, tout jeune garçon inexpérimenté que je fusse, qu'ici il y avait une ombre planant entre ces deux êtres, une ombre flottante et toujours présente, faite d'une matière imperceptible, mais, malgré tout, les isolant complètement l'un de l'autre; et pour la première fois je pressentis combien de choses secrètes cache la façade d'un mariage.

Comme si un pentagramme magique eût été tracé sur le seuil, jamais sa femme n'osait pénétrer dans son cabinet de travail sans une invitation particulière. Par là on voyait distinctement qu'elle était entièrement exclue du monde intellectuel du professeur. Et jamais mon maître ne permettait qu'on parlât de ses projets et de ses travaux en présence de sa femme. Même la manière dont il s'arrêtait brusquement au milieu d'une phrase à l'essor passionné, aussitôt qu'elle entrait, m'était franchement pénible. Ce qu'il y avait là de presque offensant et de dédain quasi manifeste ne se dissimulait même pas sous des formes de politesse; sèchement et ouvertement il repoussait loin de lui tout intérêt émanant de sa femme; mais elle ne paraissait pas remarquer cette offense ou elle semblait y être déjà habituée.

Avec sa figure de jeune fille pleine de fierté, agile et preste, svelte et jouissant de ses muscles, elle montait et descendait les escaliers comme en volant; elle avait constamment une foule d'occupations, et, cependant, elle disposait toujours de temps; elle allait au théâtre; elle ne négligeait aucune activité sportive; en revanche, cette femme, qui pouvait avoir à peu près trente-cinq ans, était dépourvue de tout goût pour les livres, pour le foyer, pour tout ce qui était solitude, calme ou méditation. Elle ne paraissait se trouver bien que lorsque (toujours à fredonner, aimant à rire et à chaque instant prête pour une conversation piquante) elle pouvait déployer ses membres dans la danse, la natation, la course, dans n'importe quel exercice violent; avec moi, elle ne parlait jamais sérieusement ; elle ne faisait que me taquiner, me considérait comme un blanc-bec et tout au plus voyait-elle en moi un

partenaire bon pour des épreuves de force auda-
cieuses.

Et cette nature d'agilité et de brillante sensua-
lité qu'était la sienne formait une opposition si
troublante avec la forme de vie de mon maître,
— sombre, toute repliée sur elle-même et n'ayant
des ailes que sur le terrain de l'esprit, — que je
me demandais avec un étonnement toujours
nouveau ce qui avait bien pu unir ces deux êtres
essentiellement dissemblables. A vrai dire, ce
singulier contraste m'était utile : lorsque, après
un travail épuisant, j'entrais en conversation avec
elle, il me semblait qu'un casque pesant m'était
ôté du front; toutes les choses à la sortie d'une
exaltation extatique reprenaient leur couleur quotidienne et leur aspect terrestre; la joyeuse socia-
bilité de la vie réclamait agréablement ses droits
et, ce que je désapprenais presque dans la fréquentation austère de mon maître, le rire, venait ainsi
salutairement détendre la pression excessive du
travail intellectuel. Une sorte de camaraderie
juvénile s'établit entre elle et moi; précisément
parce que nous ne causions toujours avec désinvolture que de sujets indifférents, par exemple
en allant ensemble au théâtre, nos rapports

n'avaient rien de dangereux. Une seule chose interrompait péniblement l'insouciance complète de nos entretiens et chaque fois me remplissait de trouble : c'était quand le nom de son mari était prononcé. Alors elle opposait inébranlablement à ma curiosité questionneuse un silence mécontent ou bien, lorsque je m'exprimais avec enthousiasme sur le compte du professeur, un sourire étrange et dissimulé naissait en elle. Mais ses lèvres restaient fermées : d'une façon différente, mais avec la même violence d'attitudes, elle écartait cet homme de sa vie, comme lui-même l'écartait de la sienne. Et pourtant ils vivaient depuis déjà quinze ans à l'ombre du même toit.

Mais plus ce mystère était impénétrable, plus grande était l'attraction qu'il exerçait sur mon impatience passionnée. Il y avait là une ombre, un voile que je sentais étrangement vaciller tout près de moi, au souffle de chaque parole; plusieurs fois déjà je pensais le saisir, ce tissu si troublant, mais il me glissait aussitôt entre les doigts, pour revenir un moment après murmurer tout près de moi; mais cela ne devenait jamais un mot tangible, une forme palpable. Or, rien n'intrigue et n'excite plus un jeune homme que le jeu énervant des vagues hypothèses; l'imagination, qui d'ordinaire erre çà et là nonchalamment, voit soudain devant elle un but de chasse, et la voilà qui s'enfièvre dans la passion, nouvelle pour elle, de la poursuite de ce gibier. En ce temps-là des sens tout nouveaux naquirent en moi, qui jusqu'alors étais un garçon engourdi : une ouïe extraordinairement fine, qui captait insidieusement les moindres inflexions de voix, un regard épieur et inquisiteur plein de méfiance et d'acuité, une curiosité fureteuse qui fouillait l'obscurité; mes nerfs se tendaient élastiquement jusqu'à devenir pour moi une douleur, sans cesse excités par le contact d'un pressentiment et jamais n'arrivant à se détendre et à vibrer sous l'action d'un sentiment clair.

Cependant, je ne la blâmerai pas, ma curiosité toujours en haleine et toujours aux aguets, car elle était pure. Ce qui exaltait ainsi tous mes sens n'était pas dû à un désir vil et de mauvais aloi aimant à découvrir perfidement chez un être supérieur quelque bassesse humaine; au contraire, ma curiosité était faite d'une angoisse secrète, d'une compassion perplexe et hésitante, qui devinaît, avec une inquiète anxiété, la présence d'une souffrance chez ce taciturne. Car, plus je pénétrais dans sa vie, plus m'oppressait d'une manière concrète l'ombre qui avait déjà mis sa plastique sur le cher visage de mon maître, cette noble mélancolie, — noble, parce que noblement surmontée, — qui jamais ne s'abaissait jusqu'à une mauvaise humeur désagréable ou à une colère impossible à refréner; si, dès la première heure, il m'avait attiré, moi étranger, par les illuminations volcaniques de sa parole, maintenant que j'étais devenu son familier, je me sentais encore plus profondément ému par sa taciturnité, par ce nuage de tristesse qui passait sur son front.

Rien ne touche aussi puissamment l'esprit d'un jeune homme qu'une douleur grave et virile : le *Penseur* de Michel-Ange, regardant fixement son propre abîme, la bouche de Beethoven, amèrement rentrée, ces masques tragiques de la souffrance de l'univers émeuvent plus fortement une sensibilité qui n'est pas encore formée que la mélodie argentine de Mozart ou la riche lumière enveloppant les figures de Léonard. Étant elle-même beauté, la jeunesse n'a pas besoin d'idéalisation : dans l'excès de ses forces vives, elle aspire au tragique, et elle permet volontiers à la mélancolie de sucer doucement son sang encore novice. De là vient aussi que la jeunesse est éternellement prête pour le danger et qu'elle tend, en esprit, une main fraternelle à chaque souffrance.

C'était la première fois de ma vie que je rencontrais la figure d'une souffrance véritable. Fils de petites gens, élevé confortablement dans une aisance bourgeoise, je ne connaissais le souci que sous les masques ridicules de l'existence quotidienne : prenant la forme de la contrariété, portant la robe jaune de l'envie ou faisant sonner les mesquineries de l'argent; mais le trouble qu'il y avait dans ce visage provenait, je le sentais aussitôt, d'un élément plus sacré. Cet air sombre venait de sombres profondeurs; c'est de l'intérieur qu'un burin cruel avait ici creusé ces plis et ces fissures dans ces joues vieillies avant l'âge. Parfois, lorsque j'entrais dans son cabinet (toujours avec la crainte d'un enfant qui s'approche d'une maison où habitent des démons) et qu'absorbé dans ses pensers il ne m'entendait pas frapper, de sorte que je me trouvais soudain, honteux et troublé, devant cet homme qui s'oubliait lui-même, il me semblait qu'il n'y avait là que son masque corporel, — Wagner habillé en Faust, — tandis que son esprit errait dans des ravins énigmatiques, au milieu de terribles nuits de Walpurgis.

Dans ces moments-là, ses sens étaient complètement fermés; il n'entendait ni l'approche d'un pas ni un timide salut. Lorsque, ensuite, se ressaisissant soudain, il se levait brusquement, ses paroles précipitées essayaient de dissimuler son embarras : il allait et venait et s'efforçait, par des questions, de détourner de lui le regard interrogateur, mais pendant longtemps encore son front restait sombre, et seule la conversation venant à s'animer pouvait dissiper les nuages amoncelés dans son âme.

Il sentait parfois probablement combien son aspect m'émouvait, il le sentait peut-être à mes mains, à mes mains inquiètes; il pouvait deviner, par exemple, que sur mes lèvres flottait invisible une prière implorant sa confiance ou bien il pouvait reconnaître dans mon attitude tâtonnante le désir fervent et secret de prendre pour moi et en moi sa douleur. Certainement, il s'en apercevait, car à l'improviste il interrompait la conversation animée et me regardait avec émotion; même son regard, d'une chaleur singulière, obscurci par sa propre plénitude, m'enveloppait largement. Alors, souvent il prenait ma main et la tenait pendant longtemps avec agitation; et toujours j'attendais : « Maintenant, maintenant, maintenant il va parler. »

Mais, au lieu de cela, la plupart du temps, c'était un geste brusque qui se produisait, ou parfois même une parole froide, dégrisante et ironique à dessein. Lui, qui était l'enthousiasme même, qui l'avait éveillé et entretenu en moi, l'écartait soudain de moi, comme une faute qu'on efface dans un devoir mal fait; et plus il me voyait l'âme ouverte, aspirant à sa confiance, plus il prononçait avec âpreté des paroles glaciales, comme : « Vous ne comprenez pas cela ! » ou bien : « Laissez donc ces exagérations-là », paroles qui me surexcitaient et me portaient au désespoir. Combien j'ai souffert à cause de cet homme aussi changeant que la température, passant brusquement du chaud au froid, qui inconsciemment m'enflammait pour me glacer aussitôt, et qui par sa fougue exaltait tout mon être, pour saisir ensuite soudain le fouet d'une remarque ironique ! Oui, j'avais le sentiment cruel que plus je m'approchais de lui, plus il me repoussait avec dureté et même avec inquiétude. Rien ne devait, rien ne pouvait le pénétrer, pénétrer son secret.

Car (j'en avais de plus en plus vivement conscience) un secret, un étrange et redoutable secret logeait dans sa profondeur à la magique attraction. Je devinais qu'il y avait en lui quelque chose de caché, à la manière singulière dont son regard se dérobait, lui qui, après s'être avancé avec ardeur, reculait craintivement, quand on s'abandonnait à lui avec gratitude; je le devinais aux plis amers des lèvres de sa femme, à la réserve froide et singulière des gens de la ville, — qui vous regardaient presque avec indignation quand on disait du bien de lui, — à cent choses bizarres, à cent troubles soudains. Et quel tourment c'était de s'imaginer être déjà entré dans le cercle intime d'une telle vie et, cependant, d'y tourner comme dans un labyrinthe, ignorant du chemin qui conduisait à sa racine et à son cœur !

Mais le plus inexplicable, le plus surprenant pour moi, c'étaient ses escapades. Un jour, en arrivant à la salle de cours, je vis qu'il y avait un écriteau disant que le cours était interrompu pendant deux jours. Les étudiants ne semblaient pas étonnés; mais moi, qui la veille encore avais été chez lui, je courus à sa demeure, poussé par la crainte qu'il ne fût malade. Sa femme ne fit que sourire sèchement devant l'émotion que trahissait mon apparition précipitée. « Cela arrive assez souvent », dit-elle avec une froideur étrange, « mais vous n'y êtes pas habitué ». Et, effectivement, j'appris par mes camarades qu'assez fréquemment pendant la nuit il disparaissait ainsi, parfois ne s'excusant que par une dépêche : un étudiant l'avait rencontré à quatre heures du matin dans une rue de Berlin, un autre dans un cabaret d'une ville étrangère. Il partait soudain, comme un bouchon saute d'une bouteille, et revenait ensuite sans que personne ne sût où il était allé.

Cette disparition brusque m'affecta autant qu'une maladie : pendant ces deux jours je ne fis qu'errer çà et là, l'esprit absent, inquiet et sans savoir que faire. Soudain, l'étude, hors de sa présence accoutumée, était devenue pour moi vide et sans objet ; je me consumais en hypothèses confuses, qui n'étaient pas dépourvues de jalousie ; et même un peu de haine et de colère surgit en moi à l'égard de sa taciturnité, qui me laissait en dehors de sa véritable vie, comme un mendiant sous le froid glacial, moi qui brûlais d'y participer. En vain je me disais que, n'étant qu'un enfant, un écolier, je n'avais aucun droit de lui demander des comptes et des explications car sa bonté m'accordait cent fois plus de confiance qu'un professeur de Faculté n'est obligé de le faire par devoir. Mais la raison n'avait aucun pouvoir sur mon ardente passion : dix fois pendant la journée, je vins sottement demander s'il n'était pas rentré, jusqu'au moment où je sentis déjà chez sa femme de l'irritation, à la façon dont ses réponses négatives devenaient toujours plus brusques.

Je restais éveillé la moitié de la nuit, l'oreille tendue pour percevoir le bruit de son pas lorsqu'il rentrerait; le lendemain matin je rôdais avec inquiétude autour de la porte, n'osant plus maintenant poser de questions. Et quand finalement le troisième jour il entra à l'improviste dans ma chambre, la respiration me manqua : mon effroi fut sans doute extraordinaire, du moins c'est ce que m'indiqua le reflet de sa surprise embarrassée, qu'il tenta de dissimuler en me posant précipitamment quelques questions indifférentes. En même temps son regard m'évitait. Pour la première fois notre entretien alla de travers, les paroles

trébuchaient les unes contre les autres et, tandis
que tous deux nous faisions effort pour écarter
toute allusion à son absence, c'est précisément
ce que nous ne disions pas qui barrait la route à
toute conversation suivie. Lorsqu'il me quitta,
la brûlante curiosité flambait en moi comme une
torche : peu à peu elle dévora mon sommeil et
mes veilles.

★

Cette lutte pour en apprendre et en connaître
davantage dura des semaines : avec entêtement
je me vissais, pour ainsi dire, au noyau de feu que
je croyais sentir comme un volcan sous le rocher
de son silence. Enfin, au cours d'une heure for-
tunée, je parvins à mettre pour la première fois
le pied dans son monde intérieur. Un jour, comme
de coutume, j'étais resté assis dans sa chambre
jusqu'au crépuscule; alors il sortit quelques son-
nets de Shakespeare d'un tiroir fermé; il lut
d'abord dans sa propre traduction ces brèves
esquisses qui semblaient coulées dans du bronze,
puis il éclaira si magiquement cette écriture chif-
frée, en apparence impénétrable, que, au milieu

du bonheur éprouvé, le regret me vint que tout ce que me donnait ainsi la parole fugitive de cet homme aux lèvres torrentielles fût perdu pour tout le monde. Voici que (qui sait d'où il me vint ?) le courage me prit subitement de lui demander pourquoi il n'avait pas achevé son grand ouvrage sur l'Histoire du Théâtre du Globe; mais à peine avais-je osé cette parole, que je constatai avec effroi que je venais sans le vouloir de toucher maladroitement à une plaie secrète et visiblement douloureuse. Il se leva, se tourna et resta longtemps silencieux. La chambre paraissait s'être soudain remplie à l'extrême de crépuscule et de silence. Enfin il s'approcha de moi, me regarda longuement et ses lèvres tremblèrent plusieurs fois avant de s'entr'ouvrir légèrement; puis sortit le douloureux aveu : « Je ne puis pas faire de grands travaux. C'est fini : seule la jeunesse forme des projets aussi hardis. Maintenant je n'ai plus de ténacité. Je suis (pourquoi le cacher ?) devenu un homme au souffle bref; je ne peux pas persévérer longtemps. Autrefois, j'avais plus de force; maintenant elle n'existe plus. Je ne puis que parler : alors parfois je suis soutenu par la parole, quelque chose m'élève au-dessus de moi-même; mais travailler dans le silence du cabinet, toujours seul, toujours seul, je ne le peux plus. »

Son attitude résignée m'émut fortement et, dans un élan de spontanéité profonde, je le suppliai de songer à retenir enfin d'un poing solide ce que quotidiennement il répandait sur nous d'une main négligente, et de ne pas se contenter de donner, mais de conserver sous forme d'ouvrages ses propres richesses.

« Je ne puis pas écrire, — répéta-t-il d'un ton las, — je ne suis pas assez concentré. »

« Dans ce cas, vous n'avez qu'à dicter. » Et, emporté par cette pensée, j'insistai, en le suppliant presque : « Vous n'avez qu'à me dicter. Essayez. Peut-être qu'au début... ensuite vous ne pourrez plus vous-même reculer. Essayez de la dictée, je vous en prie, pour l'amour de moi. »

Il leva les yeux, d'abord étonné et puis pensif. On eût dit que cette idée l'intéressait.

« Pour l'amour de vous ? » répéta-t-il. « Croyez-vous réellement que quelqu'un puisse encore se réjouir de voir le vieil homme que je suis entreprendre quelque chose ? »

Je sentais déjà, à la façon hésitante dont il parlait, qu'il commençait à céder; je le sentais à son regard rentré en lui-même, un instant avant chargé de nuages et qui, maintenant, allégé par une chaude espérance, se déployait peu à peu et trouvait en elle de quoi s'éclairer.

« Le croyez-vous réellement ? » répéta-t-il. Je sentais que sa volonté se préparait à accueillir intérieurement cette suggestion, et tout à coup il s'écria : « Eh bien ! essayons. La jeunesse a toujours raison; qui l'écoute est sage. »

L'explosion sauvage de ma joie, le triomphe que j'exprimais ainsi parut lui rendre l'ardeur de la vie; il allait et venait à grands pas, presque avec l'animation d'un jeune homme, et nous convînmes que tous les soirs, à neuf heures, immédiatement après le dîner, nous essaierions de travailler, d'abord une heure chaque jour. Et le soir suivant nous commençâmes la dictée.

Ah ! ces moments, comment les décrirai-je ! Je les attendais toute la journée. Dès l'après-midi une agitation fiévreuse et énervante électrisait mes sens impatients; à peine pouvais-je supporter les heures jusqu'à la venue du soir. Nous allions alors, aussitôt le repas achevé, dans son cabinet de travail; je m'asseyais à la table, lui tournant le dos, tandis qu'il marchait dans la pièce d'un pas agité, jusqu'au moment où le rythme s'était pour ainsi dire rassemblé en lui et où l'élévation de sa voix donnait le signal à la cadence du discours. Car cet homme singulier tirait toutes ses pensées de la musicalité du sentiment : il avait toujours besoin d'une amorce pour mettre ses idées en mouvement. Le plus souvent c'était une image, une métaphore hardie, une situation plastique, que, s'animant involontairement dans la rapidité de l'élocution, il élargissait en une scène dramatique. Souvent alors des éclairs précipités de ces improvisations jaillissait quelque chose des fulgurations grandioses de la nature créatrice : je me souviens de lignes qui ressemblaient aux strophes d'un poème ïambique, et d'autres qui se répandaient comme une cataracte, en des dénombrements puissants et abondants, comme le catalogue des vaisseaux chez Homère et comme les hymnes barbares de Walt Whitman.

Pour la première fois il était donné au jeune homme en voie de formation que j'étais alors de pénétrer dans le mystère de la production : je voyais la pensée, encore incolore, n'étant qu'une pure chaleur fluide, comme le bronze en fusion d'une cloche, naître du creuset de l'excitation impulsive, puis, se refroidissant peu à peu, trouver sa forme; je voyais ensuite cette forme s'arrondir et se réaliser dans toute sa vigueur, jusqu'à ce qu'enfin la parole en sortait clairement et, comme le battant qui fait résonner la cloche, donnait au sentiment poétique le langage des hommes. Et, de même que chaque morceau musical est issu du rythme et chaque représentation théâtrale d'un tableau élaboré scéniquement, tout l'ouvrage au vaste plan, d'une façon absolument antiphilologique, sortait d'un hymne, d'un hymne à la mer, forme terrestrement visible et sensible de l'infini, étalant ses vagues d'horizon en horizon, regardant vers les hauteurs et cachant en son sein des abîmes, entre temps jouant d'une manière à la fois pleine de sens et insensée avec la destinée terrestre, avec les frêles esquifs des hommes : de ce tableau de la mer naissait, en un parallèle grandiose, une description du tragique comme étant la force élémentaire, rugissante et destructrice qui agite notre sang.

Puis cette vague créatrice roulait vers un pays : l'Angleterre surgissait, cette île éternellement entourée par le déferlement de l'élément incertain qui enveloppe menaçant tous les bords de la terre, toutes les latitudes et toutes les zones du globe terrestre. C'est cet élément qui, dans ce pays, en Angleterre, a formé l'État : son regard droit et clair pénètre jusqu'au fond de la maison de verre de l'œil, cet œil gris et bleu ; chaque individu est à la fois homme de la mer et île, comme son pays, et de fortes passions orageuses bouillonnent voluptueusement dans cette race qui a éprouvé inlassablement ses forces au cours des siècles où les Vikings naviguaient à l'aventure. Maintenant la paix met ses brouillards au-dessus du pays autour duquel mugissent les flots ; mais ses habitants, habitués aux tempêtes, voudraient encore être sur la mer, connaître le rude assaut des événements avec leurs dangers quotidiens, et ainsi ils se créent de nouvelles émotions stimulantes et violentes, à l'aide de jeux sanglants. D'abord les tréteaux sont installés pour des chasses aux bêtes sauvages et pour des combats singuliers. Des ours ensanglantent l'arène, des combats de coqs excitent bestialement la volupté de l'horreur ; mais bientôt un sens plus raffiné cherche une émotion plus pure dans des conflits héroïquement humains. Et c'est alors que, des représentations pieuses, des Mystères joués dans les églises, sort cet autre grand jeu des passions humaines, répétition de toutes ces aventures, — traversées orageuses, mais qui maintenant s'effectuent sur les mers intérieures du cœur : nouvel infini, océan où règnent les marées de la passion et les mouvements houleux de l'esprit, océan sur les flots duquel naviguer avec émotion, être ballotté et secoué dangereusement constitue un nouveau plaisir pour cette race anglo-saxonne toujours forte, bien qu'arrivée tard. C'est ainsi que naît le drame de la nation anglaise, le drame des Élisabéthains.

Et, tandis que mon maître se lançait fanatiquement dans la description de ces débuts barbares et primitifs, la parole créatrice résonnait puissamment. Sa voix, qui d'abord se pressait comme un murmure, tendant des muscles et des ligaments sonores, devenait un avion au métal brillant, qui montait dans les airs, toujours plus libre et toujours plus haut : la pièce, les murs resserrés, dont l'écho lui répondait, devenaient trop étroits pour elle, tant il lui fallait d'espace; je sentais la tempête souffler au-dessus de moi; la lèvre mugissante de la mer criait puissamment ses mots retentissants : penché sur la table à écrire, il me semblait être de nouveau dans mon pays,

au bord de la dune et voir venir vers moi, en haletant, ce grand frémissement fait de mille flots et
de mille tourbillons de vent. C'est alors pour la
première fois que ce frisson douloureux qui
entoure la naissance d'un homme, comme celle
d'un mot, agita brusquement mon âme étonnée,
effrayée et déjà ravie.

Lorsque mon maître achevait cette dictée,
où une puissante inspiration arrachait magnifiquement la parole à la méthode scientifique pour
transformer la pensée en poème, j'étais comme
chancelant. Une ardente lassitude pesait lourdement et fortement sur moi, une fatigue bien différente de la sienne, qui, chez lui, était un épuisement, toutes ses forces étant déjà à bout, tandis
que moi, qui étais submergé par ce jaillissement,
je tremblais encore sous l'effusion de cette plénitude. Tous deux, nous avions alors besoin chaque
fois d'une conversation, qui fût une détente, pour
trouver le chemin du repos et du sommeil :
d'ordinaire, je relisais encore ce que j'avais sténo-
graphié, et, chose étrange, à peine les signes se
transformaient-ils en paroles que c'était une autre
voix que la mienne qui parlait, respirait, et s'élevait, comme si quelque être eût changé le langage

de ma bouche. Et ensuite je m'en rendais compte : en relisant, je scandais et imitais son intonation avec tant de fidélité et tant de ressemblance qu'on eût dit que c'était lui qui parlait en moi, et non pas moi-même. Tellement j'étais déjà devenu la résonance de son être, l'écho de sa parole.

Il y a quarante ans de tout cela : et, cependant, encore aujourd'hui, au milieu d'un discours, lorsque je suis emporté par l'élan de la parole, je sens soudain avec embarras que ce n'est pas moi-même qui parle, mais quelqu'un d'autre, comme si, pour s'exprimer, il empruntait ma bouche. Je reconnais alors la voix d'un cher défunt, d'un défunt qui ne respire plus que par mes lèvres : toujours, quand l'enthousiasme me donne des ailes, c'est lui qui dicte mes paroles. Et, je le sais, ce sont ses œuvres qui m'ont formé.

★

L'ouvrage grandissait; il grandissait toujours autour de moi comme une forêt, dont l'ombre me dérobait peu à peu toute la vue du monde extérieur; je ne vivais qu'intérieurement, dans l'obscurité de la maison, sous les rameaux bruissants et toujours plus sonores de l'œuvre qui s'élargissait, dans la présence enveloppante et réchauffante de cet homme.

En dehors des quelques heures de cours à l'Université, c'est à lui qu'appartenait toute ma journée. Je mangeais à sa table; nuit et jour, des messages montaient et descendaient l'escalier pour aller de son appartement au mien, et réciproquement : j'avais la clé de sa porte et lui avait la mienne, de sorte qu'il pouvait me trouver à chaque instant sans avoir besoin d'appeler ma vieille hôtesse à demi sourde. Mais plus mes relations avec lui devenaient étroites, plus je m'isolais du monde extérieur : en même temps que la chaleur de cette sphère intérieure, je partageais l'isolement glacial de son existence, étrangère à toute vie de société. Mes camarades manifestaient unanimement une certaine froideur, un certain mépris à mon égard. Était-ce une conjuration secrète ou simplement de la jalousie inspirée par la préférence dont j'étais visiblement l'objet de la part du professeur ? En tout cas, ils m'excluaient de leur fréquentation et, dans les discussions du séminaire, on évitait, comme par une entente, de m'adresser la parole et de me saluer. Même les

professeurs ne me cachaient pas leur antipathie;
un jour que je demandais un renseignement
insignifiant au professeur de langues romanes,
il m'envoya promener ironiquement en disant :

— En votre qualité d'intime de M. le professeur X..., vous devriez pourtant savoir cela.

Vainement, je cherchais à m'expliquer cette
sorte d'interdit jeté sur moi d'une façon si immé-
ritée. Mais paroles et regards me refusaient toute
explication. Depuis que je vivais complètement
avec les deux solitaires, j'étais moi-même absolument isolé de tout le monde.

Je ne me serais pas autrement inquiété de cette
exclusion de la société, puisque mon attention
était tout entière tournée vers les choses de
l'esprit; mais peu à peu mes nerfs ne résistèrent
plus à ces tiraillements continuels. On ne vit pas
impunément pendant des semaines dans une
outrance incessante de l'intellectualité; de plus,
j'avais trop brusquement changé de manière de
vivre; j'étais passé trop farouchement d'un extrême
à l'autre pour ne pas mettre en péril cet équilibre
secret que la nature a établi en nous. En effet, tandis qu'à Berlin la légèreté de ma conduite déten-
dait mes muscles d'une manière bienfaisante et

que mes aventures féminines dissolvaient comme un jeu tout ce qui s'était accumulé d'inquiétude en moi, ici, une atmosphère lourde et pesante oppressait sans cesse mes sens excités, de telle sorte qu'ils s'agitaient en mon être toujours en vibrant, avec des tressautements électriques; je désapprenais le sommeil sain et profond, bien que (ou peut-être en était-ce là la cause ?) toujours je copiasse, pour mon propre plaisir, jusqu'à une heure très avancée de la nuit, la dictée de la veille (enfiévré que j'étais par l'impatience de rapporter au plus tôt les feuillets à mon cher maître). Puis la Faculté, la préparation hâtive des textes exigeaient de moi un surcroît de zèle; et ce qui n'allait pas sans m'exciter beaucoup, c'était aussi la nature de notre conversation avec mon maître, parce que chacun de mes nerfs s'y tendait fermement pour n'avoir jamais l'air devant lui d'être indifférent à ses paroles. Le corps ainsi offensé ne tarda pas longtemps à vouloir sa revanche de ces excès. Plusieurs fois je fus pris de brefs évanouissements, — avertissements de la nature en danger que follement je négligeais; mais les lassitudes léthargiques se multipliaient, chaque expression de mes sentiments atteignait un degré de véhémence extrême, et mes nerfs exacerbés fouillaient toutes les fibres de mon corps, m'empêchant de dormir et faisant surgir en moi de confuses pensées jusqu'alors contenues.

La première personne qui remarqua que ma santé était nettement en péril fut la femme de mon maître. Souvent déjà j'avais senti que son regard inquiet m'examinait attentivement; à dessein elle répandait dans nos entretiens des remarques et des exhortations toujours plus fréquentes, me disant, par exemple, qu'il ne me fallait pas vouloir conquérir le monde en un semestre. Finalement, elle parla avec une précision complète :

— En voilà assez, — fit-elle un dimanche que par un soleil magnifique je « bûchais » la grammaire. Et en même temps elle m'arrachait vivement le livre des mains. — Comment un jeune homme plein de vie peut-il être à ce point l'esclave de l'ambition ! Ne prenez pas toujours modèle sur mon mari : il est âgé; vous, vous êtes jeune; il faut que vous viviez d'une autre manière que lui.

Chaque fois qu'elle parlait de son mari, glissait dans ses paroles cette pointe de mépris contre laquelle, moi, son fidèle disciple, je me sentais

99

indigné. Intentionnellement, je le devinais, peut-être même par une sorte de jalousie erronée, elle cherchait toujours davantage à m'écarter de lui et par des attitudes ironiques à se mettre en travers de mes excès d'attachement; si, le soir, nous restions trop longtemps à dicter, elle frappait énergiquement à la porte et, indifférente aux protestations irritées de son mari, elle nous obligeait à cesser le travail.

— Il vous démolira tous les nerfs, il détruira complètement votre santé — me dit-elle amèrement une fois qu'elle me trouva tout à fait abattu. Que n'a-t-il pas fait déjà de vous dans ces quelques semaines ? Je ne peux pas supporter plus longtemps la façon dont vous vous faites du mal à vous-même. Et, en outre... — elle s'arrêta sans finir la phrase. Mais sa lèvre était pâle et tremblait de colère à peine refrénée.

Et, réellement, mon maître ne me rendait pas la vie facile. Plus je le servais avec passion, plus il paraissait être indifférent à mon culte si empressé. Il était rare qu'il me remerciât; si, au matin, je lui apportais le travail dont l'exécution m'avait demandé une partie de la nuit, il se contentait de me dire sèchement : « Vous auriez pu attendre jusqu'à demain. » Si dans mon zèle ambitieux je prenais l'initiative de quelque acte de complaisance, soudain, au milieu de la conversation, il pinçait les lèvres et un mot ironique me repoussait. Il est vrai qu'ensuite, en me voyant m'écarter humilié et troublé, son regard chaud et enveloppant se posait de nouveau sur moi, pour calmer mon désespoir, mais combien cela était rare, oui combien rare !

Cette chaleur et cette froideur, cette façon, tantôt de me laisser avec tendresse approcher de lui et tantôt de me repousser avec irritation, troublait complètement mon âme intraitable, qui désirait... Non, jamais ne j'aurais pu indiquer nettement ce qu'à vrai dire je désirais, ce à quoi j'aspirais, ce que je réclamais, ce à quoi visaient mes efforts, quelle marque d'intérêt j'espérais obtenir de mon enthousiaste dévouement; car, lorsqu'une passion amoureuse, même très pure, est tournée vers une femme, elle aspire, malgré tout, inconsciemment, à un accomplissement charnel : la nature créatrice lui a préparé une union suprême dans la possession du corps; mais une passion de l'esprit, offerte d'homme à homme, à quelle plénitude de réalisation voudrait-elle prétendre, elle qui est irréalisable ? Sans répit elle va et vient autour de la figure adorée, flambant toujours d'une nouvelle extase et jamais calmée par un don suprême. Toujours elle ruisselle sans pouvoir couler jusqu'à plein bord, éternellement insatisfaite, comme c'est le cas de l'esprit.

Ainsi son voisinage n'était jamais, pour moi, assez proche, sa présence ne se manifestait et ne se réalisait jamais complètement dans nos longs entretiens; même quand il s'abandonnait, en toute confidence, je savais que l'instant suivant pouvait détruire d'un geste brutal cet accord presque parfait. Toujours cette instabilité troublait mon âme et je n'exagère pas en disant que dans ma surexcitation j'étais sur le point de commettre une folie, simplement parce qu'il avait repoussé avec indifférence, d'une main nonchalante, un livre sur lequel j'avais appelé son attention, ou parce que soudain, lorsque, le soir, nous étions plongés dans un profond entretien et que je suivais en haletant le jaillissement de ses pensées (justement après avoir tendrement appuyé sa main sur mes épaules) il se levait tout à coup et disait brusquement : « Mais allez-vous-en donc ! Il est tard. Bonne nuit. »

De telles vétilles suffisaient pour me bouleverser pendant des heures et des jours entiers. Peut-être que ma sensibilité surexcitée et continuellement sur le qui-vive apercevait une offense là où il n'en existait aucune dans l'esprit de mon maître; mais à quoi sert de chercher après coup à s'apaiser soi-même, lorsqu'on est en proie aux troubles d'une sensibilité profonde? Seulement le fait se renouvelait chaque jour : près de lui je brûlais de souffrance et son éloignement me glaçait le cœur; toujours ses attitudes me décevaient, rien chez lui qui pût me tranquilliser, le moindre imprévu jetant en moi la confusion !

Chose étrange, chaque fois que je me sentais blessé par lui, je me réfugiais auprès de sa femme. C'était peut-être là le désir inconscient de trouver un être souffrant également de cet écartement muet, ou peut-être simplement le besoin de parler à quelqu'un et de trouver, sinon une assistance, du moins de la compréhension. En tout cas je me réfugiais vers elle, comme auprès d'un allié secret. D'habitude elle raillait ma susceptibilité ou bien froidement et en haussant les épaules elle déclarait que je devais être déjà accoutumé à ces singularités douloureuses. Mais parfois elle me regardait avec une gravité remarquable, avec des yeux pleins de surprise, lorsque mon désespoir soudain déversait brusquement devant elle tout un déluge de reproches exaspérés, de larmes saccadées et de mots convulsifs, mais elle ne disait pas une parole; seulement sur ses lèvres il y avait tout un jeu de crispations contenues, et je sentais qu'il lui fallait ses forces entières pour ne pas laisser échapper un mot de colère et d'indiscrétion. Elle aussi, ce n'était pas douteux, avait quelque chose à me dire; elle aussi cachait un secret, peut-être le même que lui; mais tandis que lui me repoussait avec brusquerie, dès que je me faisais trop pressant, elle, le plus souvent, par une plaisanterie ou par une espièglerie imprévue, barrait la voie à toutes explications.

Une seule fois, je fus sur le point de l'obliger à parler malgré elle. Le matin, en apportant la dictée à mon maître, je n'avais pu m'empêcher de lui raconter avec enthousiasme combien précisément ce passage (c'était le portrait de Marlowe) m'avait ému. Et, tout brûlant encore de mon exaltation, j'ajoutai avec admiration que personne ne serait capable de tracer un portrait aussi magistral. Alors il pinça sa lèvre en se détournant brus-

quement; il jeta la feuille sur la table et murmura
dédaigneusement :

— Ne dites pas de telles bêtises ! Que pouvez-
vous donc comprendre à ce qui est magistral ?

Cette parole brutale (qui n'était sans doute
qu'un masque vivement mis pour dissimuler
une pudeur impatiente) suffit pour me gâter toute
ma journée. L'après-midi, me trouvant pendant
une heure seul avec sa femme, j'éclatai tout à coup
en une sorte d'explosion hystérique et, lui prenant
les mains, je m'écriai :

— Dites-moi pourquoi me hait-il tant ? Pourquoi me méprise-t-il ainsi ? Que lui ai-je fait ?
Pourquoi chacune de mes paroles l'irrite-t-elle à
ce point ? Que dois-je faire ? Aidez-moi. Pourquoi
ne peut-il pas me souffrir ? Dites-le-moi, je vous
en supplie.

Alors, tout étonné de cette explosion sauvage,
un œil perçant me regarda. Puis elle fit :

— Ne pas vous souffrir, vous ? — Et en même
temps un rire fit claquer ses dents, un rire qui
aboutit à quelque chose de si méchant et de si
incisif que je reculai involontairement. — Ne pas
vous souffrir, vous ? — répéta-t-elle encore une
fois, tout en regardant avec colère mes yeux

hagards. Mais ensuite elle se pencha vers moi, ses regards devinrent peu à peu tendres, toujours plus tendres, ils exprimèrent presque de la compassion et soudain elle me passa (c'était la première fois) une main caressante sur les cheveux, en disant :

— Vous êtes véritablement un enfant, un nigaud d'enfant qui ne remarque rien, ne voit rien et ne sait rien. Mais il vaut mieux qu'il en soit ainsi, sinon vous seriez encore plus troublé.

Et elle se détourna de moi brusquement.

C'est en vain que je cherchais à me tranquilliser : comme cousu dans le sac noir d'un cauchemar infrangible, je luttais de toutes mes forces pour trouver une explication et pour sortir de la confusion mystérieuse de ces sentiments contradictoires.

★

Quatre mois s'étaient passés de la sorte ; ç'avaient été pour moi des semaines d'exaltation et de transformation inouïes. Le semestre courait vers sa fin. Je voyais avec terreur s'approcher les vacances, car j'aimais mon purgatoire, et l'atmosphère anti-intellectuelle et terne de la vie de famille dans mon pays me menaçait à la façon d'un exil et d'une spoliation. Déjà je ruminais des plans secrets pour faire accroire à mes parents qu'un travail important me retenait ici; déjà je tressais adroitement un réseau de mensonges et d'échappatoires pour prolonger la durée de cette présence dévoratrice. Mais l'heure de mon départ était depuis longtemps fixée par le destin. Et cette heure était suspendue au-dessus de moi invisible, de même que le coup de midi est suspendu invisible dans le bronze des cloches pour retentir ensuite à l'improviste et appeler gravement au travail ou à la séparation les humains oisifs.

De quelle façon commença ce soir fatal, avec quelle perfide beauté! J'avais dîné avec mon maître et sa femme; les fenêtres étaient ouvertes et dans leur cadre obscurci le ciel crépusculaire entrait peu à peu lentement avec ses nuées blanches : quelque chose de doux et de clair émanait de leurs reflets flottant majestueusement et se prolongeait au loin; on en ressentait une impression forte et profonde. Nous avions causé, la femme et moi, avec plus de désinvolture, plus de calme et plus de fréquence que d'habitude. Mon maître se taisait, tandis que nous parlions; mais son silence ressemblait à des ailes repliées au-dessus de notre entretien. Je le regardais de côté à la dérobée : il y avait ce jour-là dans son être un allégement remarquable, aussi un peu d'agitation, mais sans rien de nerveux, — tout comme dans les nuées, les nuées d'été qui étaient au-dessus de nous.

Parfois il levait son verre de vin et le tenait à contre-jour, prenant plaisir à sa couleur; et, lorsque mon regard accompagnait joyeusement ce geste, il souriait légèrement et tournait le verre vers moi comme pour un toast. Rarement j'avais vu son visage aussi clair, ses mouvements aussi simples et tranquilles : il était assis là, presque dans la joie d'une fête, comme s'il eût entendu dans la rue une musique ou s'il eût prêté l'oreille à un entretien invisible. Ses lèvres, où flottaient d'ordinaire de petites ondes continuelles, étaient immobiles et molles comme un fruit pelé, et son front, qu'il tournait maintenant avec lenteur du côté de la fenêtre, baignait dans les reflets de cette douce clarté et me semblait d'une beauté que je ne lui avais jamais connue. C'était merveille de le voir ainsi satisfait : était-ce l'influence de ce serein soir d'été, l'action bienfaisante de la douceur de cette atmosphère aux tons dégradés qui opérait en lui, ou bien une pensée consolatrice qui brillait dans son âme ? Je l'ignorais. Mais, habitué à lire dans son visage comme dans un livre ouvert, je sentais une chose certaine : c'est que ce jour-là un dieu clément avait mis un baume sur les rides et les plis de son cœur.

Et c'est aussi avec une remarquable solennité qu'il se leva et m'invita, d'un mouvement de tête coutumier, à le suivre dans son studio : lui, d'habitude si hâtif, marchait avec une gravité singulière. Puis il se retourna encore une fois, alla chercher (ce qui également était tout à fait extraordinaire) une bouteille de vin cacheté dans l'armoire et l'apporta dans son cabinet avec précaution. Tout comme moi, sa femme paraissait noter dans ses manières quelque chose de bizarre; avec étonnement elle levait les yeux de son ouvrage de couture et, comme maintenant nous nous rendions au travail, elle observait avec une curiosité muette son attitude insolitement mesurée.

Le cabinet, comme toujours complètement plongé dans l'ombre, nous attendait avec son intimité crépusculaire; seule la lampe arrondissait un cercle d'or autour du paquet blanc des feuillets prêts pour écrire. Je m'assis à ma place habituelle et je relus les dernières phrases du manuscrit; il avait toujours besoin, pour mettre son esprit à l'unisson et pour commencer sa dictée, du rythme, comme d'un diapason. Mais tandis que d'habitude il reprenait immédiatement après la dernière phrase, cette fois-ci il resta muet. Le silence se déploya largement dans la chambre; déjà des murs il faisait peser sur nous sa tension. Mon maître paraissait n'être pas encore entièrement prêt, car j'entendais derrière moi son pas qui allait et venait nerveusement. « Lisez encore une fois ! » dit-il; il était étrange de constater avec quelle agitation sa voix s'était mise brusquement à vibrer.

Je répétai les derniers paragraphes : alors sa parole prolongea immédiatement la mienne, et il dicta d'une manière saccadée, plus rapide et plus serrée que d'habitude. En cinq phrases la scène fut bâtie; ce que jusqu'alors il avait exposé, ç'avaient été les conditions de culture préalables à l'avènement du drame, — comme une fresque de l'époque et un tableau historique; maintenant, brusquement, il se tourna vers le théâtre lui-même, qui, après le vagabondage et le « chariot errant » devient enfin sédentaire et se construit un foyer, pourvu de droits et de privilèges écrits; d'abord ce furent le « théâtre de la Rose » et la « Fortune », grossières baraques de planches pour des jeux eux-mêmes grossiers. Mais ensuite les artisans charpentent un nouveau vêtement de planches, à la mesure de la poitrine élargie de la poésie qui se développe visiblement : aux bords de la Tamise, sur les pilotis d'un sol vaseux, humide et sans valeur, se dresse le rude édifice de bois avec sa grossière tour hexagonale, le « Théâtre du Globe », sur la scène duquel paraît Shakespeare, — le maître. Comme un étrange vaisseau rejeté par la mer, avec son étendard rouge de pirate flottant au mât le plus haut, il se dresse là, solidement ancré, dans le fond bourbeux.

Au parterre s'agite bruyamment, comme dans un port, le bas peuple; du haut des galeries sourit et bavarde frivolement le beau monde, au-dessus des acteurs. Avec impatience ils demandent qu'on commence. Ils battent des pieds et font du tapage, frappent bruyamment du pommeau de l'épée contre les planches jusqu'à ce qu'enfin, pour la première fois, la scène basse s'éclaire à la lueur de quelques bougies placées devant elle et que des personnes costumées avec négligence s'avancent pour jouer une comédie qui semble improvisée. Et alors (je me rappelle encore aujourd'hui ses paroles), « éclate soudain la tempête des phrases, cette mer infinie de la passion, qui de cette limite de planches étend vers toutes les époques et toutes les zones du cœur humain ses flots sanglants, inépuisables, insondables, sereins et tragiques, variés à l'extrême et constituant l'image la plus ressemblante de l'humanité, — le théâtre de l'Angleterre, le drame de Shakespeare ».

Après ces paroles prononcées avec force, l'exposé s'arrêta brusquement. Un long et sourd silence suivit. Inquiet je me retournai : mon maître était debout, étreignant d'une main la table, dans cette attitude d'épuisement que je lui connaissais. Mais cette fois sa rigidité avait quelque chose d'effrayant. Je bondis, craignant qu'il ne lui fût arrivé quelque chose, et je lui demandai anxieusement si je devais m'arrêter. D'abord il ne fit que me regarder, hors d'haleine, l'air absent et figé. Mais ensuite la pupille de ses yeux se gonfla de nouveau, avec sa clarté bleue, et, la lèvre détendue, il s'approcha de moi.

— Eh bien ! n'avez-vous rien remarqué ? — dit-il en me regardant avec insistance.

— Quoi donc ? — balbutiai-je d'une voix incertaine.

Alors il respira profondément et sourit un peu; il y avait des mois que je n'avais pas senti en lui ce regard enveloppant, doux et tendre.

— La première partie est achevée, — dit-il.

J'eus de la peine à réprimer un cri de joie, tellement la surprise mit en moi d'ardente émotion. Comment avais-je pu ne pas m'en apercevoir ? Oui, toute la structure était là, s'étageant magnifiquement depuis les profondeurs du passé jusqu'au seuil de l'élaboration : maintenant ils pouvaient venir, les Marlowe, les Ben Jonson, les Shakespeare, franchir victorieusement ce seuil. C'était, pour le livre, le premier anniversaire : je me précipitai, pour compter les feuillets. Cette première partie comprenait cent soixante-dix pages d'une écriture serrée; c'était la plus difficile, car ce qui allait venir ensuite était un travail plus libre de composition et de présentation, tandis que jusqu'alors il avait fallu serrer de près des documents historiques. Il n'y avait pas de doute, il achèverait son ouvrage, notre ouvrage !

Je ne sais pas si je me suis livré à de bruyants ébats, si j'ai dansé de joie, de fierté, de bonheur. Mais mon enthousiasme prit sans doute des formes tout à fait imprévues dans sa manifestation, car le regard de mon maître me suivait en souriant, tandis que je relisais vite les dernières paroles, ou bien que je comptais hâtivement les feuillets, que je les prenais, les pesais et les palpais amoureusement et que déjà mon imagination calculait prématurément l'époque à laquelle nous pourrions avoir achevé tout l'ouvrage. La fierté de mon maître refoulée et profondément cachée se voyait reflétée dans ma joie; avec attendrissement il me regardait, tout radieux.

Alors il vint lentement près de moi, tout près de moi, les deux mains tendues et il saisit les miennes; immobile, il m'examinait. Peu à peu ses pupilles, qui d'habitude n'avaient de couleur que par intermittence, comme un feu à éclipses, se remplirent de ce bleu clair et plein d'âme que seules, entre tous les éléments, peuvent former la profondeur de l'eau et la profondeur du sentiment humain. Et ce bleu éclatant montait du fond des prunelles, s'avançait, pénétrait en moi; je sentais que cette onde ardente qui émanait d'elles traversait mon être moelleusement, s'y répandait largement et donnait à mon âme une joie vaste et étrange : toute ma poitrine était brusquement élargie par le jaillissement de cette puissance et je sentais s'épanouir en moi une grande fête.

— Je sais, — fit alors sa voix par-dessus cette splendeur, — que sans vous je n'aurais point commencé ce travail : jamais je ne l'oublierai. Vous avez donné à ma lassitude l'élan sauveur, vous avez sauvé ce qui reste encore de ma vie perdue et dispersée, vous, vous seul ! Personne n'a pour moi fait davantage, personne ne m'a aidé si fidèlement. Et c'est pourquoi je ne dis pas «c'est *vous* que je dois remercier », mais... « c'est *toi* que je dois remercier ». Bien ! maintenant nous allons passer une heure ensemble comme deux frères.

Il m'attira doucement vers la table et prit la bouteille préparée. Il y avait deux verres : comme témoignage de gratitude il m'avait réservé ce brinde symbolique. Je tremblais de joie, car rien ne trouble plus puissamment notre sens intime que la réalisation subite d'un ardent désir. Sa gratitude avait trouvé le plus beau des signes pouvant exprimer de la manière la plus concrète la confiance, ce signe auquel j'aspirais inconsciemment :

le tutoiement fraternel tendu par-dessus l'intervalle des années et dont le prix était septuplé par la difficulté qu'il y a à franchir une telle distance.

Déjà tintait la bouteille, cette marraine encore muette qui devait apaiser désormais pour toujours mon sentiment inquiet, en me donnant la foi; déjà mon âme sonnait claire, elle aussi, comme ce tintement vibrant, mais voici qu'un petit obstacle retarda encore l'instant solennel : la bouteille était bouchée et nous n'avions pas de tire-bouchon. Mon maître fit le mouvement de se lever pour aller le chercher, mais, devinant son intention, je le prévins en me précipitant impatiemment dans la salle à manger, brûlant déjà dans l'attente de cette seconde qui devait enfin tranquilliser mon cœur et attester d'une façon solide l'affection que me portait mon maître.

En franchissant ainsi précipitamment la porte et en sortant dans le couloir qui n'était pas éclairé, je heurtai dans l'obscurité quelque chose de doux, qui céda aussitôt : c'était la femme de mon maître, qui, manifestement, avait écouté à la porte. Mais, chose étrange, bien que le choc eût été brutal, elle ne poussa pas un cri, se bornant à reculer sans rien dire; et, moi aussi, incapable de faire un mouvement, je me tus, effrayé. Cela dura un moment; tous deux nous étions muets, honteux l'un devant l'autre, elle, surprise en flagrant délit d'espionnage, moi figé par la surprise de cette rencontre. Mais ensuite un pas léger se fit entendre dans l'ombre, une lumière brilla et je l'aperçus, pâle et provocante, le dos appuyé à l'armoire; son regard me mesurait gravement et il y avait dans son attitude immobile quelque chose de sombre, qui ressemblait à un avertissement et à une menace. Mais elle ne prononça pas une parole.

Mes mains tremblaient lorsque, après avoir longtemps et nerveusement tâtonné, presque à l'aveuglette, je trouvai le tire-bouchon; par deux fois il me fallut passer devant elle, et chaque fois en levant les yeux je rencontrai ce regard fixe, qui brillait dur et sombre comme du bois poli. Rien en elle ne trahissait la honte d'avoir été prise sur le fait, en train d'écouter à la porte; au contraire, dans son œil étincelant, hostile et résolu, il y avait à mon adresse une menace que je ne comprenais pas, et son attitude de défi montrait qu'elle était décidée à ne pas renoncer à cette manière d'agir inconvenante et à continuer de monter la garde et d'épier de la sorte. Et cette volonté supérieure me troublait; malgré moi je me courbais sous ce regard énergique et avertisseur rivé sur moi. Et, lorsque, enfin, d'un pas incertain, je me glissai de nouveau dans la pièce où mon maître tenait déjà avec impatience la bouteille dans ses mains, la joie immense que j'éprouvais un instant plus tôt avait fait place à une anxiété étrange et glaciale.

Mais lui, avec quelle insouciance il m'attendait ! Avec quelle sérénité son regard était dirigé sur moi ! Toujours j'avais rêvé de pouvoir enfin, une fois, le voir ainsi, les nuages de la tristesse ayant déserté son front. Mais maintenant que pour la première fois la paix brillait sur ce front cordialement tourné vers moi la parole me manquait; toute ma joie secrète s'en allait par des pores secrets. Confus, même honteux, je l'écoutai me remercier encore, en faisant usage du tutoiement familier, et les verres en se choquant firent entendre un son argentin.

Son bras m'entourant amicalement, il me conduisit aux fauteuils; nous nous assîmes l'un en face de l'autre, sa main était posée librement dans la mienne : pour la première fois, je le sentais tout à fait franc et spontané dans son être. Mais la parole me manquait; malgré moi mon regard était toujours tendu du côté de la porte, plein de crainte que sa femme ne fût encore là à écouter. Elle entend, pensais-je sans cesse, elle entend chaque parole qu'il me dit, chaque mot que je prononce. Pourquoi justement aujourd'hui, oui, pourquoi aujourd'hui ?

Et lorsque, m'enveloppant de ce chaud regard, il me dit soudain : « Je voudrais aujourd'hui te parler de moi, de ma propre jeunesse », je me dressai devant lui tellement effrayé, la main suppliante, en manière de refus, qu'il leva sur moi des yeux étonnés.

— Pas aujourd'hui, — balbutiai-je, — pas aujourd'hui, excusez-moi.

La pensée qu'il pût se trahir devant un espion dont j'étais obligé de lui taire la présence était pour moi trop affreuse.

Mon maître me regarda d'une façon mal assurée :

— Qu'as-tu donc ? — demanda-t-il avec un léger mécontentement.

— Je suis fatigué ! pardonnez-moi... c'est plus fort que moi... je crois — et, ce disant, je me levai, tout tremblant, — je crois qu'il vaut mieux que je m'en aille.

Malgré moi mon regard, passant devant lui, obliqua vers la porte où je supposais forcément que, dissimulée par les panneaux, cette curiosité ennemie et jalouse était toujours aux aguets.

Alors, pesamment, il se leva, lui aussi, du fauteuil. Une ombre vola sur son visage devenu brusquement las.

— Veux-tu véritablement t'en aller déjà ?... Aujourd'hui, précisément aujourd'hui ? — Ce disant, il tenait ma main, lourde d'une tension invisible. Mais soudain il la laissa retomber brusquement, comme une pierre :

— C'est dommage, — s'écria-t-il d'un air de déception. Je m'étais tellement réjoui de parler une fois librement avec toi. C'est dommage.

Pendant un moment ce profond soupir se répandit à travers la chambre, comme un noir papillon. J'étais plein de honte, plein de perplexité et de crainte inexplicable; je me retirai d'un pas mal assuré et je fermai doucement la porte derrière moi.

★

En tâtonnant péniblement, je parvins dans ma chambre et je me jetai sur le lit; mais je ne pus

pas dormir. Jamais je n'avais senti aussi fortement que mon logement aux murs minces était
suspendu au-dessus de celui de mon maître et
qu'il n'en était séparé que par une charpente
sombre et mystérieuse. Et maintenant je sentais
magiquement, avec mes sens aiguisés, que ces
deux êtres veillaient au-dessous de moi; je les
voyais sans les voir; j'entendais, sans entendre,
comment lui, à présent, au-dessous de moi, dans
sa chambre, allait et venait avec agitation, tandis
qu'elle était assise muette en quelque autre
endroit ou qu'elle rôdait aux aguets, comme un
esprit. Mais je savais que ses deux yeux étaient
ouverts et son attitude d'espionne me pénétrait
d'horreur : en proie à un cauchemar, je sentis
soudain toute la lourde et silencieuse maison peser
sur moi avec ses ombres et sa noirceur.

Je rejetai ma couverture. Mes mains brûlaient.
Qu'avais-je fait ? J'avais été tout près du secret,
je sentais déjà contre ma figure sa chaude haleine,
et maintenant il s'était de nouveau éloigné;
mais son ombre, son ombre muette, opaque, rôdait
encore avec un bruit de murmure; je la flairais
dans la maison comme un danger, rampante
comme une chatte sur ses pattes légères, toujours

là, avançant et reculant, bondissante, toujours vous frôlant et vous troublant par le contact électrique de sa peau, — chaude et pourtant semblable à un spectre.

Et toujours je sentais dans la nuit le regard enveloppant de mon maître, doux comme sa main tendue, et aussi cet autre regard incisif, menaçant et effrayant, celui de sa femme. Qu'avais-je à faire dans leur secret ? Pourquoi ces deux êtres me plaçaient-ils les yeux fermés au milieu de leur passion ? Pourquoi me mêlaient-ils à leur conflit insaisissable et pourquoi chacun d'eux déposait-il dans mon cerveau son ardent faisceau de colère et de haine ?

Mon front était toujours brûlant. Je me levai et j'ouvris la fenêtre. Au dehors la ville était couchée, paisible sous la nue estivale; il y avait des fenêtres où brillait encore la lueur des lampes; mais ceux qui étaient assis là étaient unis par une sereine conversation, ou bien un livre ou une aimable musique leur réchauffait le cœur. Et là où derrière les blancs châssis des fenêtres régnait déjà l'obscurité, à coup sûr, respirait un sommeil calme. Au-dessus de tous ces toits paisibles planait, — comme la lune dans ses vapeurs d'argent,

— un doux repos, un silence fait de pureté et rempli de clémence, et les onze coups de l'horloge tombaient sans rudesse dans l'oreille rêveuse ou par hasard écouteuse de tout ce monde. Moi seul, ici dans cette maison, je sentais qu'on veillait encore autour de moi et que j'étais assiégé par des pensées étrangères et méchantes. Fiévreusement quelque chose s'efforçait en moi de comprendre ces bruits confus.

Soudain, je reculai, effrayé. Ne venais-je point d'entendre un pas dans l'escalier. Je me dressai pour mieux écouter. Et, effectivement, il y avait là quelqu'un qui montait en tâtonnant, comme un aveugle, les degrés de l'escalier, d'un pas prudent, hésitant et mal assuré : je connaissais ce gémissement et ce bruit sourd du bois que l'on foule; ce pas-là ne pouvait se diriger que vers moi, uniquement vers moi, car personne n'habitait ici, sous le toit, sauf la vieille femme sourde, qui dormait depuis longtemps et qui, du reste, ne recevait jamais personne. Était-ce mon maître ? Non, ce n'était pas sa marche hâtive et saccadée; ce pas-là hésitait et traînait lâchement (justement à l'instant même) sur chaque degré : un intrus, un criminel pouvait s'approcher de la porte, mais non pas un ami. J'écoutais avec une telle tension que mes oreilles bourdonnaient. Et, brusquement, quelque chose de glacial monta le long de mes jambes nues.

Voici que la serrure grinça légèrement : il était déjà arrivé à la porte, cet hôte inquiétant. Un mince courant d'air qui vint donner sur les doigts nus de mes pieds me montra que la porte extérieure était ouverte; mais lui seul, mon maître, en avait la clef ! Cependant, si c'était lui, pourquoi était-il si indécis, si étrange ? Était-il inquiet, voulait-il voir comment je me trouvais ? Et pourquoi cet hôte mystérieux hésitait-il maintenant, dehors, dans le vestibule, car ce pas furtif et rampant s'était brusquement figé ? Et moi-même j'étais également figé d'horreur. Il me semblait que j'allais crier, mais quelque chose de pâteux me collait au gosier. Je voulus ouvrir, mes pieds restèrent immobiles, comme cloués au sol. Seule une mince cloison était maintenant encore entre nous deux, entre cet hôte inquiétant et moi, mais ni moi ni lui nous ne faisions un pas l'un vers l'autre.

Alors la cloche de l'horloge sonna : un seul coup, onze heures un quart. Mais cela suffit pour mettre fin à mon engourdissement. J'ouvris la porte.

Et, réellement, mon maître était là, la bougie à la main. Le courant d'air provoqué par la porte brandie brusquement couronna la flamme d'une lueur bleue, et derrière le professeur l'ombre tremblotante, se détachant gigantesquement de sa silhouette rigide, chancelait comme un homme ivre, à droite et à gauche, sur le mur. Mais, lui aussi, lorsqu'il me vit, fit un mouvement; il se replia sur lui-même, comme quelqu'un qui, surpris dans son sommeil par un souffle d'air inattendu, tire sur lui involontairement sa couverture en frissonnant. Puis il recula, tandis que la bougie vacillait dans sa main, en laissant tomber des gouttes.

Je tremblais, mortellement effrayé. Je ne pus que balbutier : « Qu'avez-vous ? » Il me regarda sans parler; quelque chose, à lui aussi, lui ôtait la parole. Enfin il posa la bougie sur la commode, et aussitôt le jeu des ombres qui flottaient dans l'espace à la manière d'une chauve-souris s'apaisa. Enfin il balbutia : « Je voulais, je voulais... »

De nouveau la voix lui manqua. Il était là, debout, les yeux baissés, comme un voleur pris sur le fait. Cette angoisse, cette attitude, moi en chemise, tremblant de froid, et lui recroquevillé sur lui-même et rendu hagard par la honte, étaient quelque chose d'insupportable.

Soudain la faible silhouette se secoua. Elle s'approcha de moi : un sourire, méchant et faunesque, un sourire qui luisait uniquement dans ses yeux comme une menace, tandis que ses lèvres étaient étroitement pincées, un sourire se posa sur moi en ricanant, semblable à un masque étrange et pendant un instant il fut comme figé ; puis une voix, pointue comme la langue bifide d'un serpent, fit entendre ces paroles sifflantes :

— Je voulais seulement vous dire... qu'il vaut mieux que nous ne nous tutoyions pas... ce... ce... ce serait incorrect entre un élève et son maître... comprenez-vous... il faut garder les distances... les distances... les distances...

Et, en même temps, il me regardait, avec une telle haine, avec une méchanceté si offensante, pareille à un soufflet, que sa main se crispait malgré lui, comme des griffes. Je fis en chancelant un mouvement de recul. Était-il devenu fou ? Était-il ivre ? Il était là, le poing serré, comme s'il voulait se jeter sur moi ou me frapper au visage.

126

Mais cette chose horrible ne dura qu'une seconde; ce regard agressif rentra précipitamment sous ses paupières. Le professeur se retourna, murmura quelque chose qui ressemblait à une excuse et saisit la bougie. Comme un diable noir et empressé, l'ombre, déjà repliée sur le sol, se remit à bouger et précéda, en tourbillonnant, mon maître sur le seuil de la porte. Puis il s'en alla lui-même avant que j'eusse eu la force de trouver un seul mot. La porte se referma avec violence; et l'escalier cria lourdement et douloureusement sous ses pas précipités.

★

Je n'oublierai jamais cette nuit; une colère froide alternait en moi sauvagement avec un désespoir brûlant et sans issue. Comme des fusées, mes pensées traversaient vivement mon cerveau, pêle-mêle. Pourquoi me martyrise-t-il ? me demandai-je cent fois dans le tourment qui me dévorait ? Pourquoi me hait-il tellement que, la nuit, il monte en cachette l'escalier, uniquement pour me lancer au visage, si hostilement, une pareille offense ? Que lui avais-je fait ? Que fallait-il maintenant que je fisse? Comment l'apaiser, puisque j'ignorais en quoi je l'avais blessé? Je me jetai tout brûlant dans mon lit; je me levai, je m'enfouis de nouveau sous la couverture; mais toujours cette image fantômale se dressait devant moi : mon maître s'avançant furtivement et tout déconcerté devant moi, et, derrière lui, étrange et énigmatique, cette ombre monstrueuse qui vacillait sur le mur.

Le lendemain matin, lorsque, après un bref et faible assoupissement, je me réveillai, je crus d'abord que j'avais rêvé. Mais sur la commode étaient collées encore, rondes et jaunes, les taches de stéarine qui avaient coulé de la bougie. Et au milieu de la chambre, toute inondée de rayons lumineux, mon affreux souvenir ne pouvait s'empêcher de me montrer sans cesse l'hôte de cette nuit, qui s'y était glissé comme un voleur.

Je ne sortis pas de l'après-midi. La crainte de le rencontrer paralysait toutes mes forces. J'essayai d'écrire, de lire, je n'y parvins pas; mes nerfs étaient comme minés : à chaque instant ils risquaient d'éclater en accès convulsif, en sanglots et en hurlements. Je voyais mes propres doigts trembler, comme d'étranges feuilles d'arbre. J'étais incapable de les maintenir en repos, et mes jarrets fléchissaient, comme si les tendons avaient été coupés. Que faire ? Que faire ? Je me le demandai jusqu'à en être épuisé ; le sang bouillonnait déjà dans mes tempes et il cernait de bleu mon regard. Mais, surtout, que je ne sorte pas, que je ne descende pas, que je ne le rencontre pas subitement, sans avoir repris assurance, sans que mes nerfs aient retrouvé leur force ! Je me rejetai sur le lit, ayant faim, sans m'être lavé, troublé, bouleversé, et de nouveau mes sens cherchèrent à deviner ce qui se passait derrière la mince barrière de la maçonnerie : où se trouvait-il maintenant, que faisait-il, était-il éveillé et désespéré comme moi-même ?

Midi arriva, et j'étais encore étendu sur le lit brûlant de ma confusion, lorsque enfin j'entendis un pas dans l'escalier. Tous mes nerfs sonnèrent en moi l'alarme ; mais ce pas était léger, insouciant, il parcourait dans son élan rapide deux marches à la fois ; déjà une main frappait à la porte. Je bondis, sans ouvrir et demandai :

— Qui est là ?

— Pourquoi ne venez-vous donc pas déjeuner ?

répondit, d'un ton un peu fâché, la femme du professeur. — Êtes-vous malade ?

— Non, non, — bredouillai-je avec embarras, — j'arrive, j'arrive à l'instant.

Et il ne me resta plus qu'à enfiler mes vêtements et à descendre. Mais il fallut que je m'appuyasse à la rampe de l'escalier, tellement mes membres flageolaient.

J'entrai dans la salle à manger. Devant l'un des deux couverts, la femme de mon maître m'attendait, et elle me salua en me reprochant légèrement de l'avoir obligée à m'avertir. La place du professeur était vide. Je sentis le sang me monter à la tête. Que signifiait cette absence imprévue ? Redoutait-il encore plus que moi-même notre rencontre ? Avait-il honte ou bien désormais ne voulait-il plus s'asseoir à la même table que moi ? Enfin je résolus de demander si le professeur ne viendrait pas.

Étonnée, elle me regarda :

— Ne savez-vous donc pas qu'il est parti ce matin par le train ?

— Parti ? — balbutiai-je. Pour où ?

Aussitôt son visage se fronça :

— Mon mari n'a pas daigné me le dire ; c'est

probablement une de ses sorties coutumières.

Puis soudain elle se tourna vers moi, disant vivement et d'un air interrogateur :

— Mais vous ne le savez donc pas, vous ? Il est pourtant, cette nuit encore, monté certainement chez vous ; je pensais que c'était pour prendre congé. C'est étrange, vraiment étrange... qu'il ne vous ait rien dit, à vous non plus.

— A moi ! — fis-je, incapable d'autre chose que de ce cri. Et, à ma honte, à ma confusion, ce cri fit déborder tout ce que ces dernières heures avaient refoulé en moi. Subitement ce fut comme une explosion : explosion de sanglots, de gémissements convulsifs et furieux ; je n'étais plus qu'une masse hagarde de désespoir, de douleur éperdue, d'où jaillissait un déluge de mots et de cris enchevêtrés ; je pleurais, ou plutôt ma bouche frémissante déchargeait toute la souffrance accumulée en moi et je la noyais dans des sanglots hystériques. Mes poings frappaient sur la table avec égarement et, comme un enfant irritable et hors de lui, la figure ruisselante de larmes, je laissais éclater avec rage ce qui, depuis des semaines, couvait en moi comme un orage. Et, tandis que ces épanchements effrénés me soulageaient, j'éprouvais en même temps une honte infinie à me trahir ainsi devant elle.

— Qu'avez-vous ? Pour l'amour de Dieu !

Ce disant, elle s'était levée brusquement, toute décontenancée. Puis elle vint vite à moi et me conduisit de la table au sofa en ajoutant :

— Étendez-vous là. Tranquillisez-vous.

Elle caressait mes mains, elle passait les siennes sur mes cheveux, tandis que des secousses convulsives continuaient à ébranler mon corps tout tremblant.

— Ne vous tourmentez pas, Roland, ne vous tourmentez pas. Je connais tout cela, je l'ai senti venir.

Elle caressait toujours mes cheveux, mais soudain sa voix devint dure :

— Je sais par moi-même comment il s'y prend pour troubler les gens. Personne ne le sait mieux que moi. Mais, croyez-moi, je voulais toujours vous avertir lorsque je voyais que vous mettiez tout votre appui en lui, qui lui-même est sans stabilité. Vous ne le connaissez pas, vous êtes aveugle, vous êtes un enfant. Vous ne vous doutez de rien, pas même aujourd'hui, non pas même maintenant. Ou peut-être avez-vous aujourd'hui pour la première fois commencé à comprendre quelque chose ? Tant mieux pour lui et pour vous.

Elle resta penchée sur moi affectueusement; il me semblait que ses paroles et le contact apaisant de ses mains endormant ma douleur venaient d'une profondeur ouatée. Cela me faisait du bien de rencontrer enfin, enfin, de nouveau un souffle de sympathie et de sentir près de moi tendre, presque maternelle, la présence d'une main de femme. Peut-être aussi que j'en avais été privé depuis trop longtemps, et maintenant en voyant à travers le voile de la tristesse l'intérêt que me témoignait une femme tendrement empressée, ma souffrance s'allégeait.

Mais, malgré tout, combien j'étais confus, combien j'avais honte de m'être trahi, dans cette crise et de m'être livré ainsi, dans mon désespoir ! Et ce fut malgré moi que, me redressant péniblement, je donnai encore cours à un flot de cris à la fois précipités et saccadés, me plaignant de tout ce qu'il m'avait fait, disant comment il m'avait repoussé et persécuté, puis de nouveau attiré; comment, sans raison ni motif, il se montrait dur envers moi, — bourreau auquel, malgré tout, j'étais attaché avec amour, que je haïssais en l'aimant et que j'aimais en le haïssant. Je recommençai tellement à m'exciter qu'il fallut encore qu'elle m'apaisât. De nouveau ses mains, ses douces mains, me repoussèrent sans rudesse sur l'ottomane d'où je m'étais levé avec emportement. Enfin, je devins plus calme. Elle se taisait, toute pensive : je devinais qu'elle comprenait tout cela et peut-être qu'elle en comprenait encore plus que moi-même.

Ce silence nous lia pendant quelques minutes; puis la femme se leva en disant :

— Bien, il y a maintenant assez longtemps que vous faites l'enfant; à présent redevenez un homme. Mettez-vous à table et mangez. Il n'y a là rien de tragique, c'est un simple malentendu, qui s'éclaircira, — et, comme je faisais quelques gestes de dénégation, elle ajouta vivement : — Il s'éclaircira, car je ne vous laisserai pas plus longtemps tirailler et bouleverser ainsi; il faut que cela finisse; il faut qu'enfin il apprenne un peu à se maîtriser. Vous êtes trop bon pour servir à ses jeux aventureux. Je lui parlerai, comptez-y. Maintenant, à table.

Honteux et sans volonté, je me laissai faire. Elle parla avec une certaine hâte et volubilité de choses indifférentes, et je lui étais reconnaissant intérieurement de ce qu'elle paraissait n'avoir pas fait attention à cette explosion plus forte que moi et de l'avoir déjà oubliée. Elle me dit d'une voix persuasive que le lendemain dimanche elle devait faire, avec le professeur W... et sa fiancée, une partie sur les bords d'un lac voisin et qu'il me fallait venir avec eux, m'arracher à mes livres et me distraire, moi aussi. Tout mon malaise provenait du surmenage et de la surexcitation des nerfs; une fois dans l'eau ou sur la route, mon corps retrouverait aussitôt l'équilibre. Je promis de les accompagner.

Tout, plutôt que la solitude, plutôt que de rester dans ma chambre, avec ces pensées rôdant dans l'ombre.

— Et cet après-midi non plus ne demeurez pas enfermé. Allez vous promener, courir, vous amuser, — insista-t-elle encore.

« Il est étonnant — pensai-je — de voir comme elle devine mes sentiments les plus intimes, comme, toujours, elle qui, pourtant, m'est étrangère, sait ce qu'il me faut et ce qui me fait mal, tandis que lui, l'homme de science, me méconnaît et me brise. »

Je lui promis de l'écouter. Et, la regardant avec gratitude, je lui trouvai un nouveau visage : ce qui s'y montrait d'habitude de railleur et d'impertinent et lui donnait un peu l'air d'un garçon insolent et mal élevé, avait disparu, pour faire place à un regard tendre et compatissant : jamais je ne l'avais vue aussi sérieuse.

« Pourquoi, *lui*, ne me regarde-t-il jamais avec cet air de bonté ? — se demandait nostalgiquement en moi un sentiment confus. Pourquoi ne voit-il jamais qu'il me fait mal ? Pourquoi n'a-t-il jamais posé sur mes cheveux, ou dans mes mains, des mains aussi secourables, aussi tendres ? »

Je baisai avec reconnaissance les mains de cette femme, qu'elle retira avec agitation, presque avec violence.

— Ne vous tourmentez pas, — insista-t-elle encore, tandis que sa voix s'inclinait vers moi.

Mais ensuite ses lèvres reprirent une expression de dureté ; se redressant brusquement, elle dit d'une voix basse :

— Croyez-moi, il ne le mérite pas.

Et cette parole, murmurée d'une façon à peine perceptible, endolorit de nouveau mon cœur, qui était déjà presque apaisé.

*

Ce que je fis d'abord dans cet après-midi et cette soirée est si ridicule et si puéril que pendant des années j'ai eu honte d'y penser et que, même, une censure intérieure étouffait aussitôt le moindre souvenir qui s'y rapportait. Aujourd'hui, je n'ai plus honte de ces balourdises; au contraire, je comprends maintenant très bien le jeune homme impétueux que j'étais, qui, en proie à une passion trouble, cherchait à se cacher violemment à lui-même la propre incertitude de son sentiment.

Je me vois moi-même comme au bout d'un couloir d'une longueur extraordinaire, comme à travers un télescope : je vois le jeune homme désespéré et tiraillé que j'étais monter dans sa chambre sans savoir ce qu'il va entreprendre contre lui-même. Et soudain il se précipite sur son paletot, se compose une autre démarche, va chercher au fond de son être des gestes farouchement résolus et puis brusquement, d'un pas énergique et violent, le voilà dans la rue. Oui, c'est moi, je me reconnais, je sais toutes les pensées de ce pauvre garçon d'alors, sot et tourmenté;

je sais : soudain je me suis raidi, devant la glace même, et je me suis dit :

— Je me moque de *lui*, que le Diable l'emporte ! Pourquoi me torturer à cause de ce vieux fou ? Elle a raison : soyons gais, amusons-nous enfin. En avant !

Véritablement c'est ainsi que je suis descendu dans la rue. Ce fut une brusque secousse pour me délivrer, et puis une course à toutes jambes, une fuite lâche et aveugle, pour ne pas reconnaître que cette joyeuse assurance n'était pas si joyeuse que cela et que le bloc de glace, immobile, pesait toujours aussi lourdement sur mon cœur. Je me rappelle encore la façon dont je marchais, ma forte canne bien serrée dans la main et regardant fixement chaque étudiant; en moi couvait une dangereuse envie de me quereller avec quelqu'un, de décharger, sur le premier venu, ma colère grondant sans issue. Mais, heureusement, personne ne daigna faire attention à moi.

Alors je me dirigeai vers le café où le plus souvent se réunissaient mes camarades étudiants en philologie, disposé à m'asseoir à leur table sans y être invité et à trouver dans le moindre quolibet le prétexte d'une provocation. Mais ici encore mon humeur querelleuse ne rencontra que le vide; la belle journée qu'il faisait avait engagé à des excursions la plupart des étudiants et les deux ou trois qui restaient me saluèrent poliment et n'offrirent pas la moindre prise à ma fiévreuse irritation. Mécontent, je me levai bientôt et je me rendis dans un établissement mal famé des faubourgs, où, en écoutant un bruyant orchestre de dames, le rebut des viveurs de la petite ville se pressait grossièrement entre bière et fumée. J'engloutis rapidement deux ou trois verres, invitai à ma table une femme de mœurs légères, avec son amie, également une demi-mondaine, sèche et fardée, et j'éprouvai une joie maladive à me faire remarquer.

Chacun me connaissait dans la petite ville; chacun savait que j'étais le disciple du professeur; d'autre part, ces femmes montraient bien par leur costume effronté et par leur conduite ce qu'elles étaient; ainsi je jouis de ce plaisir fol et ridicule de me compromettre moi et aussi (comme je le pensais stupidement) mon professeur; puissent-ils voir, me disais-je, que je me fiche de lui, que je ne me soucie plus de sa considération ! Et devant tout le monde je fis la cour à cette créature à la grosse poitrine, de la manière la plus dépourvue de tact et la plus éhontée.

C'était une ivresse de méchanceté enragée et bientôt aussi ce fut une ivresse réelle, car nous buvions de tout, mélangeant grossièrement vins, eau-de-vie, bière, et nous nous agitions si violemment qu'autour de nous des chaises se renversaient et que les voisins se reculaient avec prudence. Mais je n'avais pas honte, au contraire; il apprendra ainsi, me disais-je furieusement en ma tête folle, il verra ainsi combien il m'est indifférent : ah ! je ne suis pas triste, je ne suis pas offensé, bien au contraire.

— Du vin ! du vin ! — fis-je en frappant du poing sur la table, si bien que les verres en tremblèrent. Finalement je sortis avec les deux femmes, tenant l'une du bras droit et l'autre du bras gauche, et je gagnai la grand'rue, où l'heure habituelle de la promenade du soir réunissait les étudiants et les jeunes filles, les civils et les militaires, en une flânerie paisible et plaisante : trio titubant et lourd d'alcool, nous passâmes sur la chaussée en faisant tant de bruit qu'enfin un sergent de ville s'avança irrité et nous intima énergiquement de nous tenir en paix.

Ce qui arriva par la suite, je suis incapable de le raconter exactement : une vapeur bleue de spiritueux obscurcit mon souvenir; je sais seulement que, dégoûté des deux femmes ivres et, d'ailleurs, étant moi-même à peine maître de mes sens, je me débarrassai d'elles en leur donnant de l'argent, puis je bus en quelque endroit du café et du cognac et, devant l'Université, je prononçai une philippique contre les professeurs, pour la joie des gamins rassemblés autour de moi. Puis, poussé par l'obscur instinct de me salir encore plus et de *lui* faire tort (l'idée stupide née d'une colère trouble et passionnée !) je voulus aller dans une maison publique, mais je ne trouvai pas le chemin et finalement je me dirigeai en chancelant vers ma maison, de fort mauvaise humeur. Ce n'est qu'avec peine que ma main tâtonnante put ouvrir la porte et c'est tout juste si je parvins à me traîner sur les premières marches de l'escalier.

Mais, arrivé devant la porte du professeur, toute mon ivresse tomba brusquement, comme si ma tête avait été plongée soudain dans une eau glacée. Dégrisé, je vis dans mon visage décomposé l'image de ma folie furieuse et impuissante.

La honte me fit baisser la tête; et, tout doucement, me faisant petit comme un chien battu, pour que personne ne m'entendît, je me glissai furtivement dans ma chambre.

★

J'avais dormi comme un mort; lorsque je me réveillai, le soleil inondait déjà le plancher et il montait lentement jusqu'au rebord de mon lit; je sautai brusquement à bas. Dans ma tête endolorie le souvenir de la veille se ranimait peu à peu; mais je repoussai tout sentiment de honte, je ne voulais plus être honteux. En effet, essayai-je de me persuader, c'était sa faute, sa faute à lui seul, si je m'abrutissais ainsi. Je me tranquillisai en considérant que ce qui s'était passé la veille n'avait été qu'un divertissement d'étudiant, bien permis à quelqu'un qui depuis des semaines et des semaines n'a connu que le travail, et encore le travail. Mais je ne me sentais pas à l'aise dans ma propre justification et, assez penaud, manquant de contenance, je descendis trouver la femme de mon maître, me rappelant la promesse que je lui avais faite la veille de l'accompagner dans son excursion.

Chose singulière, à peine eus-je touché le loquet de sa porte qu'*il* fut de nouveau présent en moi, et, avec lui, cette douleur brûlante, stupide et déchirante, ce désespoir furieux qui m'avaient tant de fois assailli. Je frappai doucement. Sa femme vint au-devant de moi, en me regardant avec une douceur bizarre.

— Quelles sottises faites-vous, Roland ? — dit-elle avec plus de compassion que de reproche. Pourquoi vous torturer ainsi ?

Je restai là tout confus. Ainsi elle avait déjà appris ma folle conduite. Mais elle mit fin aussitôt à mon embarras, en disant :

— Aujourd'hui nous serons raisonnable. A dix heures, le professeur W... viendra avec sa fiancée, puis nous prendrons le train et en ramant et en nageant nous donnerons le coup de grâce à toutes ces sottises.

J'osai encore, d'une voix angoissée, demander, bien inutilement, si mon maître était rentré. Elle me regarda sans répondre, car je savais moi-même que cette question était vaine. A dix heures précises arriva le professeur; c'était un jeune physicien qui, en sa qualité de juif, vivait assez isolé de la société universitaire et qui, à vrai dire, était le seul qui nous fréquentât dans notre solitude. Il était accompagné de sa fiancée, ou plus probablement de sa maîtresse, une jeune fille dont la bouche s'ouvrait constamment pour rire, naïve et un peu sotte, mais précisément, par cela même, tout ce qu'il fallait pour une escapade de ce genre. Nous nous rendîmes d'abord par le train, tout en mangeant, causant, et nous souriant l'un à l'autre, au bord d'un petit lac situé dans le voisinage; les semaines de travail acharné que je venais de traverser m'avaient à tel point déshabitué de tous les agréments de la conversation que cette heure-là suffit déjà à m'enivrer, comme un vin léger et pétillant. Vraiment, mes compagnons réussirent tout à fait avec leur pétulance et leurs manières, semblables à celles des enfants, à éloigner mes pensées de cette sphère sombre et agitée autour de laquelle d'habitude elles tournaient toujours en bourdonnant; et à peine entré dans le plein air de la campagne eus-je senti de nouveau mes muscles, en engageant fortuitement une course avec la jeune fille, que je redevins le garçon vivant et insouciant d'autrefois.

Sur la rive du lac nous prîmes deux canots; la femme de mon maître tenait la barre du mien et dans l'autre le professeur maniait les rames avec son amie. Aussitôt que nous eûmes quitté la terre, l'envie de lutter s'empara de nous, l'envie de nous dépasser mutuellement, — ce en quoi, à vrai dire, j'étais désavantagé, car, tandis qu'ils ramaient tous deux, je me trouvais seul de mon côté : mais ôtant vite mon veston et exercé de longue main à ce sport, je maniai si vigoureusement les avirons que, à coups puissants, je devançais toujours le bateau voisin. C'était de part et d'autre un jaillissement continu de propos railleurs faits pour nous stimuler réciproquement; nous nous excitions les uns les autres et, indifférents à l'ardente chaleur de juillet, sans nous soucier de la sueur qui peu à peu nous inondait, nous nous donnions, comme des galériens intraitables, de tout cœur au démon du sport et au désir de l'emporter sur l'adversaire. Enfin le but fut proche; c'était une petite langue de terre boisée au milieu du lac : nous fîmes un effort encore plus furieux et, au grand triomphe de ma camarade de canot, qui elle-même était empoignée par l'émulation du sport, notre carène cria la première sur le sable.

Je descendis, tout brûlant et ruisselant de

sueur, grisé par le soleil auquel je n'étais pas accoutumé, par le bouillonnement impétueux de mon sang, par la joie du succès. Mon cœur battait violemment dans ma poitrine; mes vêtements étaient étroitement collés au corps par la transpiration. Le professeur n'était pas mieux partagé et, au lieu d'être félicités, nous, les acharnés champions, nous subîmes longuement le rire railleur et impertinent des femmes, à cause de notre essoufflement et de notre aspect assez pitoyable. Enfin elles nous accordèrent un moment de répit pour nous rafraîchir; au milieu des plaisanteries, deux sections de bains, l'une pour les messieurs et l'autre pour les dames, furent improvisées, à droite et à gauche du massif boisé. Nous mîmes rapidement nos costumes de natation; derrière les arbres étincelèrent du linge blanc et des bras nus, et tandis que le professeur et moi nous achevions de nous préparer, les deux femmes s'ébattaient déjà voluptueusement dans l'eau. Le professeur, moins fatigué, s'élança aussitôt sur leur trace, mais moi qui avais ramé un peu trop fort et qui sentais mon cœur battre encore avec précipitation contre mes côtes, je m'étendis d'abord confortablement à l'ombre et je regardai avec plaisir les nuages passer au-dessus de ma tête, jouissant avec délice du doux bourdonnement de la lassitude dans mon sang tumultueux.

Mais au bout de quelques minutes on commença à m'appeler de l'eau : « Roland, en avant ! Concours de natation ! Des prix pour les nageurs ! Des prix pour les plongeurs ! » Je ne bougeai pas : il me semblait que j'aurais pu rester ainsi couché pendant mille ans, la peau brûlée doucement par le soleil qui s'infiltrait à travers le feuillage et en même temps rafraîchi par l'air qui m'effleurait mollement. Mais de nouveau un rire vola vers moi, et la voix du professeur cria : « Il fait grève ! Nous l'avons vidé à fond ! Allez chercher le paresseux. » Et effectivement, j'entendis aussitôt dans le lac un clapotement se rapprocher et puis la femme de mon maître s'écria tout près de moi : « Roland, en avant ! Concours de natation ! Il faut que nous leur donnions une leçon, à tous les deux. » Je ne répondis pas, m'amusant à me laisser chercher. « Où êtes-vous donc ? » Déjà le gravier grinçait; des pieds nus parcouraient le rivage, et soudain elle fut devant moi, son maillot tout mouillé collé autour de son svelte corps de garçon. « Ah ! vous voilà ! Fainéant que vous êtes !

Mais maintenant levez-vous, les autres sont déjà presque au bord de l'île, là-bas, en face de nous. » J'étais étendu mollement sur le dos, je m'étirais indolemment : — « Il fait bien meilleur ici. Je vous rejoindrai plus tard. »

« Il ne veut pas », lança-t-elle d'une voix éclatante et rieuse, dans sa main en entonnoir dirigée vers l'autre côté de l'eau. — « Jetez-le dans le lac, le fanfaron », répondit de loin le professeur. — « Allons, venez », insista-t-elle avec impatience, « ne me rendez pas ridicule ». Mais je ne fis que bâiller paresseusement. Alors elle cassa une baguette à un arbuste, à la fois fâchée et amusée. — « En avant ! » répéta-t-elle énergiquement, en me donnant, pour me stimuler, un coup de baguette sur le bras. Je sursautai : elle m'avait frappé trop fort, une raie mince et rouge comme du sang s'étendait sur mon bras. — « Maintenant moins que jamais », dis-je, mi-plaisantant, mi-mécontent. Mais alors, avec une colère véritable, elle ordonna : — « Venez ! Immédiatement ! » Et comme, par défi, je ne bougeais pas, elle me frappa de nouveau, cette fois-ci plus fort, d'un coup cinglant et cuisant. Immédiatement je bondis, furieux, pour lui arracher la baguette ; elle recula, mais je lui pris le bras. Involontairement, dans cette lutte dont la baguette était l'enjeu, nos corps demi-nus se rapprochèrent l'un de l'autre; lorsque, ayant saisi son bras, je lui tordis l'articulation pour l'obliger à laisser tomber la branche et que, en cédant, elle se courba en arrière, on entendit un craquement : l'épaulette de son maillot s'était déchirée; la partie gauche s'ouvrit, mettant à nu son corps et, ferme et rose, le bouton de son sein pointa dans ma direction. Malgré moi, mon regard se porta à cet endroit, rien qu'une seconde, mais j'en fus troublé : tremblant et gêné, j'abandonnai sa main prisonnière. Elle se tourna, en rougissant, pour réparer tant bien que mal avec une épingle à cheveux l'épaulette déchirée. J'étais là debout, ne sachant que dire : elle aussi restait muette. Et de ce moment naquit entre nous deux une inquiétude sourde et étouffée.

★

« Allo... Allo... Où êtes-vous donc ? » faisaient déjà les voix venues de la petite île.

« Oui, je viens tout de suite », répondis-je précipitamment.

Et, heureux d'échapper à une nouvelle confusion, je me jetai d'un bond dans l'eau. Quelques plongées, la joie enthousiaste de se pousser soi-même en avant, la limpidité et la fraîcheur de l'élément insensible suffirent pour que ce dangereux bourdonnement et ce sifflement de mon sang fussent noyés sous la vague d'un plaisir plus puissant et plus pur. J'eus bientôt rattrapé nos deux partenaires; je défiai le chétif professeur à une série de matches, dans lesquels je vainquis et nous revînmes en nageant à la langue de terre, où la femme de mon maître était déjà habillée et nous attendait, pour organiser aussitôt avec les provisions que nous avions apportées un joyeux pique-nique. Mais, quelle que fût l'animation des plaisanteries qui couraient entre nous tous, involontairement, nous deux, nous évitions de nous adresser la parole; nous parlions et riions comme si cela ne venait pas de nous et ne se rapportait pas à nous. Et lorsque nos regards se rencontraient ils s'écartaient vivement l'un de l'autre, tandis qu'en nous nous éprouvions un même sentiment : ce qu'avait eu de pénible le récent incident n'était pas encore dissipé et nous sentions que nous y pensions tous deux avec une inquiétude confuse.

150

L'après-midi passa ensuite rapidement, avec une nouvelle partie de canotage; mais l'ardeur de la passion sportive cédait toujours davantage à une agréable fatigue : le vin, la chaleur, le soleil absorbé par nos pores s'infiltraient peu à peu jusque dans notre sang et lui donnaient un cours plus rouge. Déjà le professeur et son amie se permettaient de petites privautés que nous étions obligés de supporter avec une certaine gêne; ils se rapprochaient de plus en plus l'un de l'autre, tandis que nous, nous gardions une distance d'autant plus inquiète; mais notre isolement à deux devint plus conscient par le fait que les deux pétulantes personnes aimaient à rester en arrière dans le sentier de la forêt, pour se donner plus librement des baisers, et, pendant que nous étions seuls, notre conversation était toujours entravée par le brûlant souvenir de l'incident. Finalement, nous fûmes tous les quatre contents d'être de nouveau dans le train : les autres dans le pressentiment du soir nuptial, et nous-mêmes parce que nous échappions à des situations aussi gênantes.

Le professeur et son amie nous accompagnèrent jusqu'à chez nous. Nous montâmes seuls l'escalier; à peine dans la maison, je sentis de nouveau l'influence mystérieuse, troublante et passionnante de *sa* présence. « Que n'est-il revenu ! » pensai-je avec impatience ? Et, en même temps, comme si elle eût lu sur mes lèvres ce soupir muet, elle dit : « Nous allons voir s'il est revenu. » Nous entrâmes; l'appartement était vide; dans *sa* chambre tout était solitaire. Inconsciemment ma sensibilité émue dessinait dans le fauteuil vide sa figure oppressée et tragique. Mais les feuilles blanches étaient là intactes, attendant comme moi. Alors la même amertume qu'avant me revint : « Pourquoi avait-il fui, pourquoi me laissait-il seul ? » Toujours plus violente la colère jalouse me montait à la gorge; de nouveau bouillonnait sourdement en moi le désir trouble et insensé de faire contre lui quelque chose de méchant et de haineux.

La femme m'avait suivi. « Vous restez dîner ici, n'est-ce pas ? Aujourd'hui il ne faut pas que vous soyez seul. » Comment savait-elle que j'avais peur de la chambre vide, du grincement des marches de l'escalier, du souvenir que je ruminais ? Elle, elle devinait toujours tout en moi, chaque pensée même inexprimée, chaque mauvais dessein.

Une crainte me saisit, la crainte de moi-même et de la haine qui s'agitait confusément en moi. Je voulais refuser, mais je fus lâche et n'osai pas dire non.

★

J'ai de tout temps exécré l'adultère, non pas par esprit de mesquine moralité, par pruderie et par vertu, non pas tant parce que c'est là un vol commis dans l'obscurité, la prise de possession d'un corps étranger, mais parce que presque toute femme, dans ces moments-là, trahit ce qu'il y a de plus secret chez son mari; chacune est une Dalila qui dérobe à celui qu'elle trompe son intimité la plus humaine, pour la jeter en pâture à un étranger... le secret de sa force ou de sa faiblesse. Ce qui me paraît une trahison, ce n'est pas que les femmes se donnent elles-mêmes, mais que presque toujours, pour se justifier, elles soulèvent le voile de l'intimité de leur mari et qu'elles exposent, comme dans le sommeil, à une curiosité étrangère, à un sourire ironiquement satisfait, l'homme qui ne s'en doute pas.

Ce n'est pas le fait d'avoir trouvé un refuge,

moi qui étais égaré par un désespoir aveugle et
furieux, dans les embrassements de sa femme,
d'abord faits uniquement de compassion et ensuite
seulement devenus pleins de tendresse, car le
premier sentiment fit place au second avec une
rapidité fatale; ce n'est pas cela que je juge encore
aujourd'hui comme la bassesse la plus misérable
de ma vie (ceci se passa, en effet, involontairement et tous deux nous nous précipitâmes sans
le savoir, inconsciemment dans ce brûlant abîme),
mais c'est de m'être laissé raconter, sur le moite
oreiller, des confidences sur le compte de mon
maître, c'est d'avoir permis à cette femme irritée
de trahir l'intimité de son mariage. Pourquoi
tolérai-je, sans la repousser, qu'elle me confiât
que depuis des années il n'avait pas de commerce
charnel avec elle, et qu'elle se répandît en allusions
obscures ? Pourquoi ne lui ordonnai-je pas impérieusement de se taire sur ce secret le plus personnel
de la vie sexuelle de mon maître ? Mais je brûlais
tant de connaître ce qu'il me cachait, j'avais tellement soif de le savoir coupable vis-à-vis de moi,
vis-à-vis d'elle et vis-à-vis de tous que j'accueillis
fiévreusement cet aveu indigné qu'elle me fit
de la négligence dont elle était l'objet : c'était là

quelque chose de si semblable au sentiment que j'avais moi-même de me trouver repoussé ! Il arriva ainsi que tous deux, par une haine confuse et commune, nous fîmes quelque chose qui imita les gestes de l'amour : mais, tandis que nos corps se cherchaient et se pénétraient, nous ne pensions tous les deux qu'à lui et nous ne parlions tous les deux que de lui, toujours et sans cesse. Parfois ses paroles me faisaient mal et j'avais honte de rester là lié à ce que j'abominais. Mais le corps qui était en moi n'obéissait plus à ma volonté; il s'abandonnait sauvagement à sa propre volupté et en frissonnant je baisai la lèvre qui trahissait l'homme qui m'était le plus cher au monde.

★

Le lendemain matin je me glissai dans ma chambre, la langue amère de dégoût et de honte. A la minute où la chaleur de son corps cessa de troubler mes sens, j'eus conscience de l'affreuse réalité et de l'indignité de ma trahison Jamais plus, je le sentis aussitôt, je ne pourrais paraître devant les yeux de mon maître, je ne pourrais plus prendre sa main : ce n'était pas lui, mais moi-même, que j'avais dépouillé du bien le plus précieux.

Maintenant il n'y avait qu'une ressource : la fuite. Fiévreusement j'emballai toutes mes affaires, je réunis tous mes livres en un tas et je payai ma propriétaire : il ne fallait pas qu'il me trouvât là; moi aussi, je devais disparaître, sans motif et mystérieusement, tout comme il le faisait lui-même par rapport à moi.

Mais au milieu de mes mouvements pressés, ma main s'arrêta soudain. J'avais entendu le grincement de l'escalier de bois, un pas en montait à la hâte les degrés, c'était son pas.

Sans doute j'étais devenu livide comme un cadavre, car, à peine entré, il eut un cri d'effroi : «Qu'est-ce que tu as, mon garçon ? Es-tu malade ?» Je reculai. Je l'évitai en me courbant, au moment où il voulait s'approcher tout à fait de moi pour m'assister.

« Qu'as-tu ? » demanda-t-il épouvanté. T'est-il arrivé du mal ? Ou bien... es-tu encore fâché contre moi ? »

J'allai me cramponner à la fenêtre. Je ne pouvais pas le regarder. Sa voix chaude et compatissante ouvrait en mon être quelque chose comme une blessure : près de m'évanouir, je sentais affluer

156

en moi, chaud, tout chaud, brûlant et dévorant, un ardent jaillissement de honte.

Mais lui aussi était là étonné, bouleversé. Et soudain (sa voix se fit toute petite, toute hésitante), il murmura une étrange question : « Quelqu'un... t'a-t-il... dit quelque chose de moi ? »

Sans me tourner vers lui, je fis un geste de dénégation. Mais une pensée inquiète paraissait le dominer; il répéta avec obstination : « Dis-le-moi... avoue-le-moi... quelqu'un t'a-t-il dit quelque chose de moi ?... N'importe qui, je ne demande pas qui. »

Je répondis de nouveau que non. Il était là déconcerté; tout à coup il sembla avoir remarqué que mes malles étaient faites, que mes livres étaient prêts à être emballés et que précisément son arrivée avait interrompu mes derniers préparatifs de voyage. Il s'avança tout ému : « Tu veux t'en aller, Roland, je le vois... dis-moi la vérité. »

Alors je me ressaisis. « Il faut que je parte... pardonnez-moi... mais je ne puis pas vous expliquer... je vous écrirai. » Il me fut impossible d'en dire davantage, tant ma gorge était serrée, tant mon cœur battait dans chaque parole.

157

Il resta figé, puis, brusquement, son attitude lassée le reprit. « Cela vaut mieux, Roland,... oui, à coup sûr, cela vaut mieux... pour toi et pour tout le monde. Mais, avant que tu t'en ailles, je voudrais te parler encore une fois. Viens à sept heures, à l'heure habituelle... Nous nous dirons adieu, d'homme à homme... il ne faut pas prendre la fuite devant soi-même; pas besoin de lettres... ce serait puéril et indigne de nous... et puis ce que j'ai à te dire ne s'écrit pas... tu viendras donc, n'est-ce pas ? »

Je me bornai à faire signe que oui. Mon regard n'osait pas encore s'éloigner de la fenêtre. Mais je ne voyais plus rien de la clarté matinale : un voile épais et sombre était interposé entre moi et l'univers.

★

A sept heures, je pénétrai pour la dernière fois dans le bureau aimé : une obscurité précoce tombait des portières; dans le fond à peine brillait encore la pierre fluide des figures de marbre, et les livres dormaient tout noirs derrière leurs vitres au reflet de nacre. Asile secret de mes souvenirs, où la parole était devenue pour moi magie et où j'avais savouré l'ivresse et le ravissement de l'esprit comme en nul autre endroit, toujours je te vois, tel que tu étais à cette heure d'adieu, et je revois toujours la personne vénérée, qui maintenant s'arrache lentement, lentement du dossier de son siège et vient au-devant de moi comme une ombre. Seul son front brille, rond comme une lampe d'albâtre, dans l'obscurité et au-dessus ondoie, fumée flottante, la chevelure du vieil homme. A présent, soulevée avec peine, une main apparaît, venue d'en bas, elle cherche la mienne; maintenant je reconnais ses yeux, qui sont tournés vers moi avec gravité, et déjà je sens qu'il saisit doucement mon bras et qu'il me guide vers une chaise.

« Assieds-toi, Roland, et parlons clairement. Nous sommes des hommes et il faut que nous soyons sincères. Je n'exerce pas de pression sur toi, mais ne vaudrait-il pas mieux que cette heure dernière créât aussi une complète clarté entre nous ? Dis-moi donc pourquoi tu veux t'en aller. Es-tu fâché contre moi à cause d'une offense insensée ? »

D'un signe je fis non. La pensée que lui, qui

avait été trompé et trahi, voulût prendre la faute sur lui, m'était insupportable.

« T'ai-je blessé par ailleurs, consciemment ou non ? Je suis quelquefois étrange, je le sais. Et je t'ai irrité, tourmenté, contre ma propre volonté. Je ne t'ai jamais assez remercié pour tout l'intérêt que tu m'as porté... je le sais, je le sais, je l'ai toujours su, même dans les minutes où je te faisais mal. Est-ce là la raison, dis-le-moi, Roland, car je voudrais que nous prissions loyalement congé l'un de l'autre. »

De nouveau je secouai la tête, je ne pouvais pas parler. Jusqu'alors sa voix avait été assurée : maintenant elle commença à se troubler légèrement.

« Ou bien... je te le demande encore... quelqu'un t'a-t-il rapporté quelque chose sur mon compte... quelque chose que tu trouves vil... répugnant... quelque chose qui fait que tu me méprises ? »

« Non, non, non... » Cette dénégation jaillit comme un sanglot : moi, le mépriser ! Lui, lui !

Maintenant sa voix devint impatiente. « Qu'y a-t-il alors ?... Qu'est-ce que ça peut donc être ?...

Es-tu fatigué de travailler ?... Ou bien est-ce quelque chose d'autre qui te fait partir... ? Une femme... est-ce une femme ? »

Je me tus et ce silence était sans doute ainsi fait qu'il y sentit un aveu. Il se pencha plus près de moi et murmura tout bas, mais sans émotion et sans colère :

« Est-ce une femme ?... Ma femme ?... »

Je continuai de me taire et il comprit. Un tremblement me parcourut le corps : maintenant, maintenant, maintenant il allait éclater, me tomber dessus, me battre, me châtier... et j'avais presque envie qu'il me fouettât, moi le voleur, moi le traître, qu'il me chassât à coups de pied, comme un chien galeux, de sa maison profanée.

Mais, chose étrange... il resta complètement silencieux... et l'on eût dit que la façon dont il murmura pensivement, en s'adressant à lui-même : « A vrai dire, j'aurais dû y penser ! » exprimait presque un soulagement. Par deux fois il alla et vint dans la chambre. Puis il s'arrêta devant moi et me dit d'un ton qui me parut presque méprisant :

« Et c'est cela... c'est cela que tu prends si au sérieux ? Ne t'a-t-elle pas dit qu'elle est libre de faire ce qui lui plaît, de prendre qui lui plaît, que je n'ai aucun droit sur elle ? Aucun droit de lui défendre quelque chose, et je n'en ai pas non plus la moindre envie... Et pourquoi se serait-elle contrainte, pour l'amour de qui et précisément à ton égard ?... Tu es jeune, tu es limpide et beau... tu étais près de nous... comment ne t'aurait-elle pas aimé, toi... toi, beau et jeune comme tu es, comment ne t'aurait-elle pas aimé... ? Je... »

Soudain sa voix se mit à trembler et il se pencha près de moi, si près que son souffle glissa sur mon visage. De nouveau je sentis le chaud enveloppement de ses regards, de nouveau je sentis cette étrange lumière, comme... comme dans ces rares et singulières secondes qui se produisaient entre lui et moi. Il s'approchait toujours davantage.

Et puis il murmura tout bas, à peine si ses lèvres remuèrent : « Je... je... t'aime, moi aussi. »

★

Avais-je sursauté ? Ces paroles m'avaient-elles involontairement fait faire un mouvement en arrière, inspiré par l'épouvante ? Je l'ignore, mais il fallait bien que quelque geste de surprise et de fuite fût issu de mon corps, car il chancela en s'écartant, comme quelqu'un qu'on repousse. Une ombre obscurcit son visage. « Me méprises-tu, maintenant ? » demanda-t-il tout bas ? « Te suis-je maintenant antipathique ? »

Pourquoi ne trouvai-je alors aucune parole ? Pourquoi me bornai-je à rester là muet, comme indifférent, embarrassé, engourdi, au lieu de m'élancer vers cet homme plein d'amour et de lui ôter son souci erroné ? Mais tous les souvenirs déferlèrent en moi sauvagement ; comme si le langage de tous ces messages incompréhensibles venait soudain d'être déchiffré, je compris alors les choses avec une clarté terrible : la tendresse avec laquelle il venait à moi et sa brusque défense ; je compris, plein de trouble, la tentative qu'il avait faite pendant la nuit, et sa fuite tenace devant ma passion qui montait vers lui avec enthousiasme. L'amour, je l'avais toujours senti chez lui, tendre et timide, tantôt débordant, tantôt entravé de nouveau par une force toute-puissante, cet amour, je l'avais éprouvé et j'en avais joui dans chaque rayon tombé fugitivement sur moi. Cependant, lorsque le mot « amour » fut prononcé par cette bouche barbue, avec un accent de tendresse sensuelle, un frissonnement à la fois doux et effrayant passa bruyamment dans mes tempes. Et, malgré l'humilité et la compassion dont je brûlais devant lui et pour lui, moi jeune homme tout troublé, tout tremblant et tout surpris, je ne trouvai pas une parole pour répondre à sa passion qui se révélait à moi à l'improviste.

Il était assis, anéanti devant mon silence. « C'est donc pour toi si effrayant, si effrayant », murmura-t-il ? « Toi non plus... tu ne me pardonnes donc pas, toi non plus devant qui j'ai serré mes lèvres jusqu'à en étouffer presque... toi à l'égard de qui je me suis caché comme je ne l'ai fait à l'égard de personne ?... Mais il vaut mieux que tu le saches maintenant; à présent cela ne m'oppresse plus... car la mesure était comble pour moi... Oh ! elle était plus que comble... il vaut mieux en finir qu'être en proie à ce silence et à cette dissimulation... »

Comme il disait cela avec tristesse, avec tendresse et avec confusion ! Son accent frémissant pénétrait tout au fond de mon être. J'avais honte de rester si froid, si insensible et glacé dans mon silence, devant cet homme de qui j'avais reçu plus que de tout autre et qui s'humiliait devant moi d'une manière si insensée. Mon âme brûlait de lui dire un mot de consolation, mais ma lèvre frémissante ne m'obéissait pas et ainsi, embarrassé, je me faisais si pitoyablement petit et je me recroquevillais tellement sur mon siège que, presque malgré lui, il chercha à me donner du courage. « Ne sois donc pas ainsi, Roland, si atrocement muet... ressaisis-toi donc... est-ce réellement si terrible pour toi ? Est-ce que je t'inspire une si grande honte ?... Maintenant, tout est passé, je t'ai tout dit... prenons au moins bravement congé l'un de l'autre, comme il convient à deux hommes, à deux amis. »

Mais je n'étais pas encore maître de moi. Alors il me toucha le bras : « Viens, Roland, assieds-toi à côté de moi... je me trouve mieux depuis que tu connais la chose, depuis qu'enfin la clarté règne entre nous... D'abord je craignais que tu ne devinasses combien tu m'es cher... puis j'ai espéré que tu le sentirais toi-même, simplement pour que cet aveu me fût épargné... mais maintenant la chose est faite, maintenant je suis libre, maintenant je puis te parler comme je n'ai jamais parlé à un être humain. Car tu m'as été plus cher que n'importe qui pendant toutes ces années, je t'ai aimé comme personne... Comme personne, tu as, mon ami, éveillé le fond suprême de mon être... aussi, en guise d'adieu, il faut que je t'en apprenne plus sur mon compte que n'en sait aucun humain; j'ai, en effet, pendant toutes ces heures senti si nettement ton désir muet de me questionner... toi seul, tu connaîtras toute ma vie. Veux-tu que je te la raconte ? »

A mes regards, troublés et émus, il vit que ʲe le voulais.

« Rapproche-toi donc... viens près de moi... je ne puis pas dire ces choses à voix haute. »

Je m'inclinai, avec piété, — c'est le mot qui convient. Mais à peine fus-je assis en face de lui, attendant et écoutant, qu'il se leva de nouveau. «Non, pas ainsi... il ne faut pas que tu me regardes... sinon... sinon je ne pourrais pas parler. » Et d'un geste il éteignit la lumière.

L'obscurité descendit sur nous. Je sentais qu'il était tout près de moi, je le sentais à son souffle qui, lourd et semblable à un râle, se perdait, quelque part dans l'invisible. Soudain une voix s'éleva entre nous, et il me raconta toute sa vie.

*

Depuis le soir où cet homme que je révérais entre tous m'ouvrit son destin, comme on ouvre un dur coquillage, depuis ce soir-là, qui date de quarante ans, tout ce que nos écrivains et nos poètes nous racontent d'extraordinaire dans leurs livres et ce que les pièces de théâtre dissimulent dans les coulisses, comme étant trop tragique pour la lumière de la scène, me paraît enfantin et sans importance. Est-ce par indolence, lâcheté ou insuffisance de vision que tous se bornent à dessiner la zone supérieure et lumineuse de la vie, où les sens jouent ouvertement et légitimement, tandis que, en bas, dans les caveaux, dans les cavernes profondes et dans les cloaques du cœur s'agitent, en jetant des lueurs phosphorescentes, les bêtes dangereuses et véritables de la passion, s'accouplant et se déchirant dans l'ombre, sous toutes les formes de l'emmêlement le plus fantastique ? Sont-ils effrayés par le souffle, ardent et dévorant, des instincts démoniaques, par la vapeur du sang brûlant ? Ont-ils peur de salir leurs mains trop délicates aux ulcères de l'humanité, ou bien leur regard, habitué à des clartés plus mates, est-il incapable de les conduire jusqu'à ces marches glissantes, périlleuses et dégouttantes de putréfaction ? Et, pourtant, l'homme qui sait n'éprouve pas de joie égale à celle qu'on trouve dans l'ombre, de frisson aussi puissant que celui que glace le danger et, pour lui, aucune souffrance n'est plus sacrée que celle qui par pudeur n'ose pas se manifester.

Or ici un homme se révélait à moi dans sa nudité la plus complète; ici un homme déchirait le tréfonds de sa poitrine, prêt à mettre à nu son cœur battant, empoisonné, consumé et suppurant. Il y avait là une volupté sauvage à se martyriser volontairement, à la manière des flagellants, dans cet aveu contenu pendant des années et des années. Seul quelqu'un qui avait eu honte, qui s'était courbé et caché pendant toute une vie pouvait avec une telle ivresse débordante descendre jusqu'à l'implacabilité d'un tel aveu. Morceau par morceau un homme arrachait sa vie de sa poitrine, et, en cette heure-là, moi, qui étais encore presque un enfant, j'aperçus pour la première fois, d'un œil hagard, les profondeurs inconcevables du sentiment humain.

D'abord sa voix vogua immatérielle dans l'espace, comme une trouble fumée issue de l'émotion, comme une allusion incertaine à des événements secrets; et, pourtant, l'on sentait, justement à la façon dont la passion était péniblement maîtrisée, qu'elle allait se déchaîner furieusement, tout comme dans certaines mesures ralenties avec violence et qui précèdent un rythme véhément on sent déjà dans ses nerfs le *furioso*. Mais ensuite des images commencèrent à flamboyer, s'élevant en frémissant au-dessus de la tempête intérieure de la passion et peu à peu devenant plus claires. Je vis d'abord un enfant, un timide enfant replié sur lui-même, qui n'ose dire un mot à ses camarades, mais qu'un désir physique, confus et impérieux attire précisément vers les garçons les plus jolis de l'école. Cependant, lors d'un rapprochement trop tendre, l'un d'eux l'a repoussé avec irritation; un second s'est moqué de lui en lui décochant un mot d'une odieuse netteté et, ce qui est pire encore, tous deux ont cloué au pilori, devant leurs camarades, cette passion contraire. Et aussitôt une unanimité de raillerie et d'humiliation exclut, comme un pestiféré, l'enfant confus, de la joyeuse camaraderie des élèves; aller à l'école devient pour lui un calvaire quotidien et lui, qui porte le précoce stigmate, voit ses nuits troublées par le dégoût de lui-même : l'enfant qui est repoussé par ses pareils sent que sa passion contre nature et qui, pourtant, ne s'est précisée que dans des rêves, est une folie et un vice déshonorant.

La voix du narrateur vacille, incertaine. Un instant il semble qu'elle menace de s'éteindre dans l'obscurité. Mais un soupir lui redonne de la force et, de la noire fumée, sortent maintenant en flamboyant de nouvelles images qui s'alignent comme des ombres et des fantômes. L'enfant est devenu étudiant à Berlin; pour la première fois la ville souterraine permet à son penchant longtemps maîtrisé de se satisfaire. Mais combien elles sont souillées par le dégoût et empoisonnées par l'angoisse, ces rencontres, où l'on cligne de l'œil, dans les coins sombres des rues, dans l'obscurité des gares et des ponts ! Qu'elles sont pauvres de plaisir, toujours frissonnant, et remplies d'atroces périls, le plus souvent se terminant misérablement par des chantages et chacune d'elles traînant encore pendant des semaines, comme une limace, une trace visqueuse de glaciale épouvante ! Voie infernale entre l'ombre et la lumière : tandis que, pendant le jour clair et laborieux, le cristal de l'esprit purifie le savant, le soir replonge toujours cet être de passion dans la lie des faubourgs, dans la fréquentation d'individus équivoques, que la simple vue du casque à pointe policier suffit à mettre en fuite, dans les tavernes aux lourdes exhalaisons dont la porte méfiante ne s'ouvre que devant un sourire convenu. Et sa volonté doit se tendre comme l'acier, pour cacher cette duplicité de la vie quotidienne, pour dérober prudemment au regard étranger ce secret aussi terrifiant que la tête de Méduse, en conservant pendant le jour irréprochablement l'attitude grave et digne d'un professeur pour parcourir ensuite, la nuit, incognito, le monde souterrain de ces aventures honteuses se déroulant dans l'ombre des lanternes vacillantes. Sans cesse le pauvre homme en proie à la torture s'efforce de faire rentrer dans l'ordre, avec le fouet de la maîtrise de lui-même, cette passion sortie de la voie naturelle; toujours de nouveau l'instinct l'entraîne vers le ténébreux péril. Dix, douze, quinze années de luttes, brisant les nerfs, contre la force magnétique et invisible d'une inclination incurable s'étirent en une seule convulsion, jouissance sans plaisir, honte qui étouffe; et petit à petit se creuse ce regard, obscurci et timidement caché en soi-même, que lui donne la peur de sa propre passion.

Enfin tard déjà, passé la trentième année de sa vie, une tentative énergique pour remettre l'attelage sur la voie droite. Chez une parente, il fait la connaissance de sa future femme, une jeune fille qui, attirée obscurément vers lui par ce que son être a de mystérieux, éprouve à son égard un amour sincère; pour la première fois le corps de garçon et l'allure juvénile et pétulante de cette femme peuvent donner pendant quelque temps le change à sa passion. Une liaison rapide réussit à triompher de son aversion pour l'être féminin; pour la première fois sa passion est vaincue, et dans l'espoir de se rendre maître, grâce à cet amour naturel, de son penchant pervers, impatient de s'enchaîner à ce qui pour la première fois lui a fourni un soutien contre cette attirance intérieure qu'exerce sur lui le péril, vite, il épouse, — après lui avoir tout avoué, — la jeune fille. Maintenant il pense que la voie qui mène aux zones d'épouvantes est barrée. Pendant quelques brèves semaines, il jouit de la sérénité; mais bientôt le nouvel excitant se montre inefficace et le désir frénétique reprend tenacement sa suprématie. Et désormais la femme déçue, et qui l'a déçu lui-même, ne sert plus que de paravent pour masquer aux yeux de la société la récidive de son penchant.

De nouveau la route périlleuse frôle la marge de la loi et de la société pour descendre dans les ténèbres du danger.

Et, tourment particulier qui s'ajoute au chaos de son âme, une fonction lui est assignée où ce penchant devient malédiction. La fréquentation permanente des jeunes gens est un devoir officiel pour le chargé de cours à la Faculté qui sera bientôt professeur titulaire; la tentation pousse toujours vers lui, à portée de son haleine, une nouvelle floraison de jeunesse, éphèbes d'une antique palestre invisible au milieu d'un monde régi par les paragraphes de la loi prussienne. Et tous (nouvelle malédiction ! nouveaux dangers !) l'aiment passionnément, sans reconnaître le visage d'Éros derrière le masque du professeur; ils sont heureux lorsque d'un geste de bonhomie sa main, qui tremble secrètement, se pose sur eux; ils prodiguent leur enthousiasme à quelqu'un qui constamment doit se garder d'eux. Tourments de

Tantale : se montrer dur à l'égard d'une pressante sympathie, dans un incessant combat avec sa propre faiblesse, un combat qui n'en finit jamais ! Et toujours, quand il se sentait près de succomber à une tentation, il prenait soudain la fuite ! C'étaient là ces escapades, dont le départ et le retour subits m'avaient tellement troublé : maintenant je comprenais ce qu'était cette terrible fuite devant soi-même, cette fuite dans l'horreur des chemins obliques et des bas-fonds. Alors il se rendait dans une ville où il trouvait, en quelque endroit écarté, des familiers, des individus de basse condition, dont le contact était une souillure, — une jeunesse adonnée à la prostitution et qui était tout le contraire de celle dont l'esprit lui était saintement dévoué; mais ce dégoût, cette bourbe, cette horreur, ce mordant venimeux de la désillusion lui étaient nécessaires pour que, ensuite rentré chez lui, dans le cercle confiant des étudiants, il pût de nouveau être sûr de ses sens. Oh ! quelles rencontres, quelles figures de fantômes, et pourtant bien terrestres et puantes, sa confession évoqua devant moi !

Car cet homme à la haute intellectualité, pour qui la beauté des formes était un besoin inné, ce maître de tous les sentiments, qui dans son esprit ne connaissait que la pureté, était obligé de subir les suprêmes humiliations de cette terre dans les bouges enfumés et aux lumières troubles ouverts seulement aux initiés : il connaissait les insolentes exigences des jeunes gandins fardés qui se pavanent sur les promenades, la familiarité douceâtre des garçons coiffeurs parfumés à l'excès, le rire excité et comme forcé des éphèbes travestis sous leurs vêtements de femme, la soif enragée d'argent des comédiens sans engagement, la tendresse grossière des matelots chiqueurs, toutes ces formes perverses, inquiètes, inverties et fantastiques dans lesquelles le sexe égaré se cherche et se reconnaît, dans la marge la plus louche des cités. Il avait éprouvé, sur ces chemins glissants, toutes les humiliations, toutes les hontes et toutes les violences : plusieurs fois il avait été complètement détroussé (trop faible, trop noble pour se colleter avec un valet d'écurie), il était rentré chez lui sans montre, sans pardessus et, qui plus est, raillé par le « camarade » aviné de l'hôtel borgne de faubourg. Des maîtres chanteurs s'étaient attachés à ses talons; l'un d'eux l'avait pendant des mois suivi pas à pas, jusqu'à la Faculté; il s'était assis insolemment au premier rang de ses auditeurs et avec un sourire de gredin il regardait le professeur connu de toute la ville, qui, tremblant sous les clignements confidentiels de ces yeux, avait une peine extrême à arriver au bout de son cours. Une fois (mon cœur s'arrêta lorsqu'il me confessa ce fait) il avait été, à minuit, arrêté par la police, à Berlin, avec toute une clique, dans un bal mal famé; avec ce sourire avantageux et ironique du subalterne qui pour une fois peut faire l'important aux dépens d'un intellectuel, un agent de police, gras et aux joues rouges, nota sur son carnet le nom et la profession du pauvre professeur tout tremblant, en lui signifiant finalement, à titre de grâce, que pour cette fois-ci il était relâché indemne de toute sanction mais que désormais son nom resterait inscrit sur la liste spéciale. Et de même que le vêtement d'un homme qui s'est assis longtemps dans un endroit puant le mauvais alcool finit par en conserver l'odeur, de même il était forcé qu'ici, dans sa propre ville, on se mît peu à peu à chuchoter sur son compte, sans savoir d'où était venue la révélation; car, exactement comme autrefois parmi ses camarades de classe, maintenant parmi ses collègues les conversations et les saluts devenaient toujours plus froids, d'une manière toujours plus ostentatoire, jusqu'à ce qu'ici aussi cette atmosphère vitreuse et transparente finît par séparer de tout le monde cet homme toujours solitaire qu'on traitait en étranger. Et jusque dans la retraite de sa maison farouchement fermée il se sentait encore épié et démasqué.

Mais jamais ce cœur torturé et angoissé n'avait connu la faveur d'une amitié pure et noble, la tendresse d'une amitié virile située au delà des sens : toujours il lui fallait partager en deux son sentiment, une partie étant réservée pour les relations élevées, faites de douces aspirations, avec les jeunes compagnons intellectuels de la Faculté et l'autre se plongeant dans les bas-fonds où il allait chercher ces « camarades » ténébreux dont le lendemain matin il ne se souvenait plus qu'en frissonnant. Jamais cet homme qui commençait déjà à vieillir n'avait vu un attachement pur, un adolescent à l'âme généreuse se donner à lui et, épuisé par les désillusions, les nerfs déchirés par cette chasse éperdue à travers les fourrés épineux, il pensait déjà avec résignation que son existence n'était plus qu'une ruine. Voici qu'alors un jeune homme entra passionnément dans sa vie, s'offrant joyeusement lui-même, dans ses paroles et dans son être, au professeur vieilli, dirigeant toute son ardeur vers lui qui, vaincu et sans comprendre, était effrayé de ce miracle qu'il n'espérait plus, — ne se sentait plus digne d'un don si pur et offert d'une manière si ingénue. Encore une fois était venu vers lui un messager de jeunesse, une figure belle avec des sens passionnés, brûlant pour lui d'un feu spirituel, tendrement attaché à lui par les liens de la sympathie, ayant soif de son amitié et inconscient du danger qu'il courait. Portant dans son âme candide le flambeau d'Éros, hardi et ne se doutant de rien, comme Parcifal, il se penchait sur la blessure empoisonnée, ignorant de l'enchantement et ne sachant pas que déjà sa venue apportait la guérison : lui, si longtemps attendu pendant toute une vie, trop tard, trop tard, à la dernière heure du soir tombant, il entra dans la maison.

Et, pendant la description de cette figure, la voix, elle aussi, sortait de l'obscurité. Une lumière semblait la clarifier; une tendresse profonde mettait en elle les ailes de la musique, tandis que cette bouche éloquente parlait de ce jeune homme, le tardif bien-aimé. Je tremblais d'émotion, de sympathie et de bonheur, mais soudain mon cœur ressentit comme un coup de marteau. Ce jeune homme ardent dont parlait mon maître, c'était... (la pudeur envahit mes joues)... c'était moi-même : je voyais mon image se détacher sur le fond d'un miroir brûlant, enveloppée d'un tel éclat d'amour inouï que son reflet suffisait à embraser mon âme. Oui, c'était moi, je me reconnaissais toujours mieux, je reconnaissais ma manière d'être, pressante et enthousiaste, ce désir fanatique de m'approcher de lui, cette extase passionnée à qui l'intellectualité ne suffisait pas; je me reconnaissais, moi, le jeune homme sauvage et fou qui, ignorant de sa puissance, avait encore une fois rouvert dans cet être tari la source féconde de la création et qui encore une fois avait allumé dans son âme le flambeau d'Éros que sa lassitude avait déjà laissé tomber. Avec étonnement je voyais maintenant ce que j'avais été pour lui, moi, le garçon timide, dont il aimait l'enthousiasme pressant, comme la plus sainte surprise de son âge. Et, en frissonnant, je me rendais compte aussi des luttes que sa volonté avait dû soutenir à cause de moi, car précisément il ne voulait recevoir de moi, qu'il aimait d'un amour pur, ni raillerie ni brutale rebuffade; il ne voulait pas sentir en moi le frisson de la chair offensée; il ne voulait pas livrer à ses sens, pour un jeu lascif, cette dernière faveur d'un destin ennemi. C'est pourquoi il opposait à mes efforts une résistance si acharnée en même temps qu'il versait sur mon sentiment débordant le jet brusque d'une glaciale ironie; c'est pourquoi les épanchements de son amitié se muaient soudain en une dureté factice et c'est pourquoi il refrénait la tendresse enveloppante de sa main. C'est seulement à cause de moi qu'il se contraignait à tous ces mouvements inamicaux destinés à refroidir mon enthousiasme et à le protéger lui-même et qui pendant des semaines troublaient mon âme. Maintenant je comprenais avec une atroce clarté ce qu'avait été le sauvage chaos de cette nuit où, noctambule de ses sens tout-puissants, il avait monté l'escalier grinçant, pour ensuite se sauver lui-même et sauver notre amitié, au moyen d'un mot offensant. Et à la fois frémissant, ému, agité comme dans la fièvre et devenu toute compassion, je compris combien il avait souffert à cause de moi et quel héroïsme il avait déployé pour se dompter.

Cette voix dans l'obscurité, cette voix dans

les ténèbres, ah ! comme je la sentais pénétrer jusque dans la structure la plus intime de ma poitrine ! Un accent résonnait en elle comme je n'en avais jamais entendu auparavant, et comme je n'en ai jamais entendu depuis, — un accent venu de profondeurs que n'atteint point le destin des hommes moyens. Un être humain ne pouvait parler de la sorte qu'une seule fois dans sa vie à un être humain, pour se taire ensuite pour toujours, ainsi qu'il est dit dans la légende du cygne, qui seulement en mourant peut, une unique fois, hausser jusqu'au chant la raucité de son cri. Et j'accueillais en moi cette voix qui montait chaude, enflammée et pénétrante, je l'accueillais en frémissant douloureusement, comme une femme reçoit l'homme dans son être...

★

Brusquement, la voix se tut et il n'y eut plus entre nous que l'obscurité. Je savais qu'il était près de moi. Je n'avais qu'à remuer ma main et, en la tendant, je l'aurais touché. Et j'éprouvais un puissant désir d'être secourable à sa souffrance.

Mais il fit un mouvement, la lumière vibra. Je vis se lever du siège une figure lasse, vieillie, tourmentée; un vieil homme épuisé vint lentement à moi.

« Adieu, Roland... maintenant plus un seul mot entre nous. Tu as bien fait de venir... et il est bon pour nous deux que tu t'en ailles... Adieu... et laisse-moi... te donner un baiser en cet instant suprême. »

Comme soulevé par une puissance magique, je m'inclinai vers lui. Cette clarté confuse, qui d'habitude était comme arrêtée par une trouble fumée, brilla maintenant dans ses yeux : une flamme brûlante monta brusquement en eux. Il m'attira à lui, ses lèvres pressèrent avidement les miennes, en un geste nerveux, et dans une sorte de convulsion frémissante il me tint serré contre son corps.

Ce fut un baiser comme je n'en ai jamais reçu d'une femme, un baiser sauvage et désespéré comme un cri mortel. Le tremblement convulsif de son corps passa en moi. Je frémis, en proie à une double sensation, à la fois étrange et terrible : mon âme s'abandonnait à lui, et pourtant j'étais épouvanté jusqu'au tréfonds de moi-même par la répulsion qu'avait mon corps à se trouver ainsi au contact d'un homme, — affreuse confusion de sentiments qui faisait durer cette seconde, pendant laquelle je ne m'appartenais plus, a tel point que j'en avais perdu la notion du temps.

Alors il me lâcha; ce fut une secousse comme quand un corps se désarticule sous l'action de la violence; il se tourna péniblement et se jeta sur son siège, ne me montrant que le dos : durant quelques minutes son corps immobile resta droit, n'ayant devant lui que le vide. Mais peu à peu sa tête devint trop lourde; elle se pencha légèrement, cédant à la fatigue et à l'épuisement, puis, semblable à un poids trop grand qui pendant longtemps a oscillé dans une position instable et qui tout à coup s'abat dans la profondeur, son front incliné tomba pesamment sur la table de travail, en rendant un son mat et sec.

Une compassion infinie s'empara de moi. Involontairement je m'approchai, mais alors son dos affaissé se redressa soudain convulsivement encore une fois et, se retournant vers moi, d'une voix rauque et sourde, il poussa comme une sorte de gémissement menaçant, à travers ses mains crispées qui étaient posées devant sa figure : « Va-t'en... va-t'en... non... ne t'approche pas... pour l'amour de Dieu... pour l'amour de nous deux... va-t'en, maintenant... va-t'en ! »

Je compris et en frissonnant je reculai : comme un fugitif je quittai alors ce lieu bien-aimé.

★

Jamais je ne l'ai revu. Jamais je n'ai reçu de lui ni lettre ni nouvelle. Son livre n'a jamais paru, son nom est oublié; nul ne se souvient de lui, en dehors de moi. Mais encore aujourd'hui, comme autrefois le garçon ignorant que j'étais, je sens que je ne dois davantage à personne qu'à cet homme, ni à mon père ni à ma mère, avant lui, ni à ma femme et à mes enfants, après lui, et que je n'ai aimé personne plus que lui.

Achevé d'imprimer en février 1988
sur presse CAMERON
dans les ateliers de la S.E.P.C.
à Saint-Amand-Montrond (Cher)
pour le compte des Éditions Stock
103, boulevard Saint-Michel, 75005 Paris

Imprimé en France
Dépôt légal : Mars 1988.
N° d'Édition : 7931. N° d'Impression : 355.
54-12-2952-10
ISBN 2-234-01309-7

Imprimé en France.
Dépôt légal : Juin 1986.
N° d'Éditeur : 7637 — N° d'Impression : 798.
34-12-5925-01-8
ISBN 2-234-01309-4